Si tu existes ailleurs

*Du même auteur
aux Éditions J'ai lu*

JE LE FERAI POUR TOI
N° 9202

LONGTEMPS, J'AI RÊVÉ D'ELLE
N° 9963

THIERRY COHEN

Si tu existes ailleurs

ROMAN

À ma sœur Sabrina.
À mes frères Roland, Bruno
et Stéphane.
Pour l'amour que nous
savons partager.

Prologue

6 avril 1981
Cabinet du docteur Laurens
Enregistrement

Voix du docteur Laurens :
— Veux-tu bien me dire ce que tu vois sur
ce dessin ?

Silence

Voix de l'enfant :
— En fait, c'est un petit garçon et sa maman.
Ils se promènent. Le petit garçon n'est pas très
gentil. Il n'arrête pas de lâcher la main de sa
maman. Elle est en colère contre lui.

Silence

— D'habitude, sa maman est belle et elle sourit. Mais là, elle est fâchée.

Silence

— Il y a plein de voitures dans la rue, plein
de bruits. Sa maman est fatiguée, elle aimerait

rentrer chez elle. Mais l'enfant fait un caprice. Il veut aller jusqu'au jardin pour faire de la balançoire. Sa maman lui dit : « Une autre fois, mon cœur. » Elle l'appelle souvent comme ça : mon cœur. Je sais pas pourquoi.

Silence

— En fait, ça veut rien dire d'appeler quelqu'un mon cœur.

Silence

Voix du docteur Laurens :
— Pourquoi ça ne veut rien dire ?

Voix de l'enfant :
— Ben le cœur, c'est ce qui fait vivre.

Silence

Voix du docteur Laurens :
— Continue à me décrire ce dessin, s'il te plaît.

Voix de l'enfant :
— L'enfant s'énerve. Il insiste. C'est un garçon trop gâté. C'est son papa qui dit ça. Il dit souvent : « Tu le gâtes trop. Il est devenu capricieux. »

Silence

— Alors, sa maman le suit. Elle sourit mais elle est pas contente. Elle aimerait rentrer. Elle est trop fatiguée. Il y a trop de bruit avec toutes ces voitures. Elle lui attrape la main et la serre fort. Elle marche lentement. Lui, il se dit qu'ils marchent trop lentement. En plus, au feu, le petit bonhomme est vert et le temps qu'ils arrivent, il va devenir rouge et ils vont devoir attendre. Alors il avance plus vite, il tire la main de sa maman. Elle lui dit : « Doucement, mon cœur. » Au moment de traverser, le bonhomme est toujours vert. Alors l'enfant avance. Sa mère lui dit : « Non, attends, il va bientôt passer au rouge. » Mais l'enfant tire encore et leurs mains glissent.

Voix du docteur Laurens :
— Continue.

Silence

— L'enfant a commencé à traverser. Sa maman crie. L'enfant a peur car il entend le moteur d'une voiture et au lieu de s'arrêter il se met à courir. Il entend sa maman hurler encore. En fait, il ne sait pas si c'est sa maman ou un klaxon, ou des pneus qui freinent. Il a tellement peur. Mais il arrive vite sur l'autre trottoir. Il est content. Il veut se retourner pour faire signe à sa maman, lui dire que tout va bien. Mais quand il se retourne, il la voit pas. Il n'y a que des voitures. Elles sont toutes arrêtées. Il y a plein de bruits aussi. L'enfant ne comprend pas pourquoi des voitures sont arrêtées alors que le bonhomme est rouge. Il ne comprend pas pourquoi les gens parlent tous très fort. Surtout, il ne comprend pas pourquoi il ne voit plus sa maman.

Silence

Voix du docteur Laurens :
— Continue.

Voix de l'enfant :
— En fait, maintenant, y a plein de gens autour de lui. Il les entend dire les mots « ambulance », « mon Dieu ! », « horreur ». Un monsieur s'approche, se baisse et l'oblige à se tourner pour ne pas voir la rue. Alors, l'enfant croit qu'il veut lui montrer sa maman : elle a traversé plus vite que lui, elle est de l'autre côté, elle l'attend. Mais il ne la voit pas. Alors, il veut voir de l'autre côté mais le monsieur l'empêche. « Ne regarde pas petit », il lui dit.

Silence

Voix du docteur Laurens :
— Il y a d'autres personnes qui parlent à l'enfant ?

Voix de l'enfant :
— Oui. À côté du monsieur, il y a une dame, une grosse dame. Elle lui caresse les cheveux et elle pleure. Elle dit : « Mon Dieu ! Mon Dieu ! » Elle dit aussi « c'est horrible ». Et aussi « pauvre enfant ». L'enfant ne comprend rien. Il sait pas ce que veulent ces personnes. Lui, il veut juste que sa maman se décide à traverser et vienne le chercher. Il en a marre de tous ces

gens autour de lui. Mais elle tarde. Alors l'enfant se dit que c'est à cause des voitures qui se sont arrêtées au milieu de la rue qu'elle peut pas traverser. Il crie « maman », pour l'appeler. Pour qu'elle sache qu'il est là, au milieu de tous ces gens qui le cachent. Il a peur qu'elle ne le voie pas.

La grosse dame dit encore « pauvre petit ». L'enfant appelle encore très fort. Il est sûr que sa maman va l'entendre et va le rejoindre. Et puis il y a la sirène de la police. Il est un peu content quand même, il aime bien la police. Il entend encore la voix de la grosse dame.

Silence

Voix du docteur Laurens :
— Que dit-elle ?

Voix de l'enfant :
— Elle dit : « Mon Dieu, mon Dieu ! C'est de la faute de l'enfant. »

Silence

Voix du docteur Laurens :
— Et ensuite ?

Voix de l'enfant :
— Ensuite, j'ai pleuré.

Chapitre 1

18 mai 1981
Cabinet du docteur Laurens

Les deux enfants étaient assis face à face. Sur la table qui les séparait, des jeux, des feuilles de papier et des crayons de couleur les invitaient à partager un moment de détente. Mais ils s'observaient avec une insistance presque hostile. Noam se demandait qui était la fille qui occupait cette chaise d'habitude vide. Elle était plus âgée que lui. Quatre ou cinq ans de plus environ. Il avait décidé qu'il ne l'aimait pas et ne jouerait pas avec elle. Peut-être à cause de sa façon de le regarder ou de son air sévère. De toute façon, il aimait jouer seul. Il observa la maison qu'il avait commencé à construire lors de ses précédentes visites. Il ne restait plus qu'à placer les fenêtres et la porte d'entrée et elle serait terminée. Mais la présence de cette fille l'ennuyait. Il sentait son lourd regard sur lui, sur ses gestes. La fille se retourna et posa les yeux sur le miroir placé au centre d'un des murs de la petite salle. Noam, qui avait suivi son mouvement, se demanda pourquoi elle fixait cette glace puisque, de leurs places, ils ne pouvaient pas voir leurs reflets. Cette fille était vraiment bizarre. Il s'en désintéressa et chercha la dernière pièce de la maison, la porte. Où était-elle passée ? Il était certain de l'avoir vue quelques minutes auparavant.

*
* *

Derrière le miroir, Aretha Laurens, les bras croisés, observait la scène. À ses côtés, une femme blonde, vêtue d'un tailleur chic, triturait un mouchoir en papier entre ses longs doigts. Des tics nerveux venaient perturber les rondeurs de son visage.

— Alors, qu'en pensez-vous docteur ? demanda-t-elle.

— Il est encore trop tôt pour se prononcer mais il ne semble pas la connaître.

— Et elle ?

— Je pense que si elle l'avait reconnu, elle l'aurait manifesté d'une manière ou d'une autre. En jouant avec lui par exemple. Or, elle paraît simplement étonnée, presque vexée, d'être mise en présence d'un enfant plus jeune qu'elle. Mais... nous ne pouvons être sûres de rien. Les enfants dissimulent très bien. Ils ont parfois besoin de temps pour exprimer leurs émotions. Il faudrait les amener à se revoir, à échanger.

— Non. Je ne pense pas que ce soit une bonne idée, rétorqua la femme blonde. Nous avons besoin de tourner la page, d'avancer.

— Est-ce à dire que vous refusez de collaborer ? interrogea le docteur Laurens d'une voix qu'elle voulut neutre mais dans laquelle perçaient les accents d'une déception.

— Oui. Il faut que tout cela prenne fin, s'exclama la blonde, excédée. Je suis désolée mais... voir ce petit garçon me bouleverse. Et je veux préserver ma fille.

Elle offrit une expression apitoyée au docteur comme si elle la suppliait de ne pas la juger trop durement.

— Je comprends votre point de vue, mais je me dois d'insister. Quelque chose nous a échappé dans cette histoire. Je ne sais quoi et je suis certaine que...

— Non, c'est fini ! asséna son interlocutrice d'une voix plus ferme. Je veux que nous reprenions une vie normale.

— Une vie normale ? répéta le docteur Laurens pour souligner l'incongruité de l'expression.

La dame au tailleur chic ne répondit pas. Ses traits ronds tentèrent de dessiner une mimique capable d'exprimer combien elle était navrée mais ses tics l'en empêchèrent. Elle se résolut alors à tourner les talons et ouvrit la porte derrière laquelle se trouvaient les deux enfants.

— On s'en va, ma chérie.

*
* *

Malgré ses hauts talons, la femme marchait vite. La fillette la suivait tant bien que mal, tentant parfois de courir pour rattraper son retard.

— Qui était ce petit ? demanda-t-elle.

La maman ralentit son pas.

— Je n'en ai aucune idée.

— Il attendait sa maman, lui aussi ?

— Sa maman ? Non. Enfin... je ne... je ne sais pas.

La dame accéléra et l'enfant trottina à ses côtés.

— Il construisait une maison, expliqua-t-elle.

— Ah ? Et tu l'as aidé ?

— Non, j'ai pas osé.

— Tu n'as pas osé ? répéta-t-elle, en l'observant à la dérobée. Et pourquoi ?

— Il n'avait pas envie que je l'aide. Il m'ignorait. Mais la prochaine fois, je...

— Il n'y aura pas de prochaine fois, l'interrompit sa mère. Nous n'y retournerons pas.

L'enfant se figea, obligeant l'adulte à s'arrêter.

— Mais tu m'avais dit qu'il s'agissait d'une première visite et qu'il y en aurait d'autres.

— J'ai changé d'avis. Nous n'avons plus rien à faire là-bas.

La petite fille parut dépitée.

— On ne pourrait pas y retourner au moins une fois ? insista-t-elle.

— Y retourner ? Pourquoi voudrais-tu y retourner ? questionna la maman, fébrile.

— Pour revoir le garçon.

La femme cligna des yeux plusieurs fois, cherchant la tonalité la plus juste pour s'exprimer.

— Pourquoi veux-tu le revoir ? s'enquit-elle d'une voix douce.

— Pour l'aider à terminer sa maison.

— Ah ! C'est gentil de ta part... Mais ce n'est pas une raison suffisante. Il la finira tout seul.

L'enfant parut soudain désemparée.

— Non, il ne la finira jamais, déclama-t-elle.

— Comment le sais-tu ?

— Je le sais, c'est tout.

Sa maman haussa les épaules et reprit sa marche rapide, pensive.

La fille ouvrit discrètement sa main, contempla la porte de la maison, hésita un instant à la jeter puis se ravisa et la glissa dans la poche de sa veste.

Cinq ans plus tard
Cabinet du docteur Laurens

Comme à son habitude, Noam avait tourné le fauteuil en direction de la fenêtre et se tenait affalé, presque allongé, les deux mains derrière la nuque, son regard flottant sur les lents mouvements de la rue bondée de passants. Une mèche de cheveux traversait son visage et dissimulait son regard.

— Et l'école ? demanda le docteur Laurens.

— Ça va. Je me débrouille pas mal, répondit le garçon avec désinvolture.

— Tu te débrouilles même très bien. Ton premier bulletin de l'année est... édifiant.

— Oui. J'aime bien travailler.

— Pourquoi ?

— Pourquoi j'aime travailler ? Ben... je sais pas. J'aime, c'est tout.

— Je sais aussi que tu n'as pas beaucoup d'amis.

— J'en ai quelques-uns. Enfin, pas des amis. Des copains.

— Comment s'appellent-ils ?

— Il y a...

Noam hésita, passa la main dans ses cheveux pour ramener sa mèche sur ses yeux.

— Oui ? relança la thérapeute.

— Bah, en fait, ce ne sont pas vraiment des copains, reconnut-il.

Le docteur acquiesça.

— À quoi aimes-tu jouer, Noam ?

— J'aime faire des mots croisés.

— Pourquoi ?

— Pourquoi… toujours cette question. Parce que j'aime les mots sans doute. Mais bon, j'aime les chiffres aussi. Alors, je sais pas.

— Comment va ta sœur ?

Une expression tendre traversa le visage de Noam.

— Bien. Elle va bien.

— Tu joues avec elle ?

— Bien sûr. On joue à un tas de trucs.

— Par exemple ?

— Genre le Monopoly, le Scrabble. Mais ce qu'on aime surtout, c'est se raconter des histoires. Pour se faire peur ou se faire rire.

— Où trouvez-vous ces histoires ?

— Dans les bouquins qu'on emprunte à la bibliothèque. Élisa lit beaucoup. Moi aussi. Mais nous en inventons aussi. Enfin, surtout elle.

— Tu aimes ta sœur, n'est-ce pas ?

— Si je l'aime ? Ben oui… C'est ma sœur.

— Élisa a des amies ?

— Oui, quelques-unes.

— Elles viennent à la maison ?

— Parfois. Papi et Mamie préfèrent que ce soit elles qui viennent à la maison. Ils ont peur de tout.

— Et ton père, tu le vois parfois ?

Les traits de Noam se durcirent ; il ne répondit pas.

— Tu sais qu'il est malade, n'est-ce pas ?

— Il n'est pas malade, il est alcoolique.

— L'alcoolisme est une maladie, Noam.

— Une maladie que l'on décide d'avoir.

— C'est plus compliqué.

— C'est ce que me disent mes grands-parents. Ils disent que, plus tard, je comprendrai.

— Ils ont raison.

— Je peux y aller maintenant ? coupa Noam en se redressant et en pointant le menton vers l'horloge.

— Oui, la séance est terminée.

Il se leva. Ses cheveux lui tombèrent sur les yeux. D'un geste sûr, il les ramena en arrière, releva son jean trop large, ramassa son sac à dos.

— Noam ?

— Oui ?

— Je suis vraiment fière de tes résultats scolaires.

— Merci.

— Quel métier aimerais-tu faire quand tu seras grand ?

L'enfant baissa la tête, ses cheveux retombèrent sur ses yeux. Il réfléchit un instant.

— Je sais pas, pompier… ou pilote de ligne.

— Quels beaux métiers ! Pourquoi ces choix ?

Noam haussa les épaules, chercha une réponse.

— Faut toujours qu'il y ait une raison ?

— Il y en a toujours une, Noam. On peut essayer de la connaître ou ne pas se poser la question.

— Et ensuite se demander pourquoi on ne se pose pas la question ? répliqua-t-il, le regard malicieux.

Le docteur Laurens sourit, magnanime.

— D'accord, restons-en là. C'est toi qui auras le dernier mot aujourd'hui.

Le jeune garçon appuya du bout du pied sur l'extrémité de son skateboard pour le saisir et fit un signe de la main à la thérapeute.

— À la semaine prochaine ! lança-t-il avant de disparaître dans la cage d'escalier.

Sept ans plus tard
Cabinet du docteur Laurens

À la manière dont il la salua, à l'éclat qu'elle vit dans son regard et à la façon dont il s'installa dans son fauteuil, face à elle, le docteur Laurens comprit que quelque chose était arrivé.

— C'est la dernière fois que nous nous voyons, annonça la thérapeute.

— Je le sais, répondit Noam avec un subtil mélange de regret et d'impudence.

— C'est ce qui te rend si joyeux ?

— Oh non ! s'exclama-t-il. D'abord, je ne suis pas joyeux, je suis seulement... détendu. Ensuite, sachez que, jusqu'à mardi dernier, je redoutais cette séance. Mais là... je crois que tout se goupille à merveille.

Le docteur se cala dans le fauteuil, lâcha son crayon et ouvrit ses mains pour accueillir ses confidences.

— Explique-moi ce qu'il t'est arrivé ce mardi.

— Vous vous souvenez de la fille dont je vous avais parlé ? Celle qui avait lu un poème assez bizarre au séminaire organisé par le lycée.

— Bien entendu. C'est la seule fille dont tu m'as jamais parlé.

— C'est vrai. Eh bien... Je crois que je suis amoureux. Enfin, je ne sais pas si je le suis vraiment mais... si je pense aux romans que j'ai lus, ce que je vis ressemble à de l'amour.

— Merveilleux ! Raconte-moi tout.

— Tout ? Non, j'en suis incapable. Mais, ce jour-là, je me suis rendu à la fête de fin d'année organisée par le lycée. Elle était là. On s'est parlé. Puis on a décidé d'aller marcher un peu. Et... on sort ensemble maintenant.

— Fantastique. Pourquoi te dis-tu incapable de me raconter ce qui s'est passé ?

— Vous le savez... dès qu'il s'agit d'exprimer mes sentiments, je ne trouve pas les mots. J'arrive juste à vous dire les conséquences de ce que j'ai vécu. Il n'y a qu'à vous et Élisa que je peux d'ailleurs dire ça.

— Qu'en dit Élisa ?

— Elle est heureuse pour moi. Inquiète aussi. Elle dit que cette fille est trop insaisissable, trop bizarre et qu'elle risque de me faire souffrir.

— Tu le penses aussi ?

— Oui, elle est bizarre. Est-ce qu'elle me fera souffrir ? Je ne sais pas.

— Et le fait de vivre cette histoire t'a consolé de l'arrêt de mes consultations ?

— Oui. Depuis quelques années on ne se voyait plus qu'une fois par mois mais nos rendez-vous étaient pour moi des sortes de repères. Je me préparais à vous raconter ce que j'allais vous dire. Quand il m'arrivait des choses, quand j'éprouvais des émotions positives ou négatives, j'y réfléchissais et les formulais intérieurement en faisant comme si je m'adressais à vous. Souvent, lorsque je vous rencontrais, je laissais tomber la plupart de ces pensées pour vous en confier les principales. Ça m'aidait à faire le tri entre ce qui était important ou non. Alors, à l'idée de vous perdre, je paniquais un peu.

— Ce que tu dis me fait plaisir, Noam. Mais, maintenant, tu quittes le lycée, tu abordes une nouvelle vie et j'ai de sérieuses raisons de penser que tu n'as plus besoin de moi. Il y a d'ailleurs longtemps que je ne considère plus nos rencontres comme des séances. Mais nous ne pouvons pas pour autant dire que ce sont des rencontres amicales. Il faut donc que tu apprennes à te passer de moi.

— Ça fait tellement de temps quand même. À qui vais-je parler maintenant ?

— À ta sœur. À ceux qui deviendront tes amis...

— Ma sœur... je la ménage. Je ne lui confie que les choses positives de ma vie. À vous, je pouvais tout dire.

— Et tu penses que tu pourras le faire avec... Comment s'appelle-t-elle ?

— Julia. Oui, je crois. Si notre relation dure. Dans ma tête, c'est à elle que je parle déjà.

— C'est bien, mais... c'est à toi qu'il convient de parler désormais. Tu peux parfois adresser des sentiments ou des propos à Julia, mais l'essentiel de ton discours doit être constitué de conversations intérieures.

Noam fit pivoter le fauteuil face à la fenêtre.

— Mais quand je me parle à moi-même, quand j'ai ces conversations intérieures, comme vous dites, les choses ne sont jamais claires. Je n'arrive pas à structurer mes pensées. Je songe à un truc puis à un autre, j'évite certaines questions, refuse des réponses... Face à vous, tout me paraît tellement plus facile.

Le docteur Laurens hocha la tête.

— Il existe une manière d'apprendre à le faire, déclara-t-elle.

Noam lui lança un regard interrogatif.

— Écris tes pensées.

— Genre journal intime ?

— Par exemple.

— C'est nul. Je me sentirai trop con.

— Tu n'es pas obligé de lui donner le ton d'un journal intime. Ça peut être une sorte de carnet de confidences où tu raconteras les scènes importantes de ta vie à la manière d'un romancier, par exemple.

— Mais je n'ai pas le talent d'un romancier !

— Et alors ? L'objectif n'est pas d'être édité mais de poser des mots sur tes sentiments, d'écrire ton histoire.

— Mon histoire... répéta Noam, considérant l'idée avec intérêt.

Le jeune homme s'imagina penché sur un cahier, rédigeant les derniers événements de sa vie, sa rencontre avec Julia, quelques mois auparavant, puis cette nuit magique passée à ses côtés.

— Que penses-tu de ma proposition ?

— Intéressante, reconnut-il.

— Elle t'aidera.

— Je pourrais passer vous voir parfois ?
Enfin... pour vous dire bonjour.

Un large sourire éclaira le visage du docteur Laurens.

— Bien sûr. J'en serai tout à fait heureuse.

Elle savait ces visites peu probables. La plupart de ses patients, une fois la séparation consommée, changeaient de vie. Toutes les conditions étaient désormais réunies pour que Noam recouvre son passé du voile de la sérénité. Il avait réussi son bac, allait s'engager dans de brillantes études et était amoureux. Un avenir se trouvait à sa portée et elle n'y avait pas de place.

Il se leva, tendit la main à sa thérapeute.

— Je vous remercie, docteur.

Elle eut envie de le saisir et de l'embrasser. Elle l'avait connu si petit, tellement seul et désemparé. Son cas avait été si passionnant qu'elle l'avait rapporté dans un de ses essais et il avait à coup sûr contribué à sa notoriété. Mais elle se contenta de poser ses deux mains sur celles de Noam afin de les serrer chaleureusement.

— Allez, vas-y maintenant, déclara-t-elle émue. Sauve-toi avant que je ne fonde en larmes. Ta vie t'attend derrière cette porte et trépigne d'impatience de te rencontrer.

Ma première page.

Les mots ont-ils la capacité de courir après les sentiments et de les enfermer dans des définitions, de rattraper les émotions pour les traduire en faits et, ainsi, leur offrir la possibilité d'une autre vie, plus facile à saisir ? Je ne le sais pas mais j'éprouve le besoin de commencer ce cahier de confidences en relatant ce qui m'est arrivé ce soir-là.

Ma première fête.

Assis au fond de la salle, j'observais avec curiosité les mouvements esquissés par ces filles et garçons s'évertuant à épouser le rythme de l'entêtante musique que diffusaient deux enceintes poussées au maximum. Si la danse est une ambition, celle de magnifier la musique en lui donnant pour support la grâce dont sont capables certains corps entraînés, à quoi rimaient ces mouvements répétitifs, saccadés, stéréotypés que ces garçons et filles produisaient laborieusement ? N'étaient-ils pas ridicules, serrés les uns contre les autres, faisant mine de s'ignorer, feignant l'aisance, enfermés dans leurs fantasmes ? Voici les pensées qui me traversaient tandis que je patientais.

C'était la première fois que je participais à une fête donnée par un lycéen. La vérité est que je n'avais pas été invité souvent. Aux yeux de mes camarades de classe, je passais pour un obscur, un original, celui à qui on ne sait jamais trop quoi dire. Mais, ce soir-là, tout le monde était convié à fêter le bac, les vacances, la fin d'une époque, le début d'une nouvelle ère censée nous trouver plus matures, plus engagés. Pourquoi avais-je accepté de m'y rendre ? Parce que je n'avais pas trop le moral ? Parce qu'elle serait là et qu'il s'agirait de ma dernière chance de la voir et lui parler ?

Mais elle n'était pas venue. Je l'avais espérée durant près d'une heure puis m'étais résolu. Je ne la reverrais plus. Pour noyer cette déception, je me rendis au bar et me servis un troisième verre de sangria.

Ma première cuite.

Le premier verre m'avait étourdi. Le deuxième m'avait détendu. Le troisième brûla mes dernières résistances, prit le contrôle de mon cerveau avant d'irradier en moi une force nouvelle. Je sentis une douce euphorie m'envahir, m'alléger du poids de l'existence. Encore un verre et je serais capable d'aller faire le pantin sur la piste. J'envisageai cette option, m'imaginai me déhanchant au milieu des apprentis danseurs et cette vision suffit à me dissuader de continuer à succomber au vin sucré.

C'est à ce moment précis qu'elle entra dans la salle, accompagnée de sa bande d'ahuris aux cheveux décolorés, aux tatouages et piercings apparents, aux vêtements volontairement détériorés. Pourquoi fréquentait-elle ces fils et filles de bonnes familles en mal d'identité ? Elle, si différente d'eux, si fine, si précieuse sous ses faux airs de rebelle ? Je l'avais rencontrée au cours d'un séminaire de littérature – j'adore lire et écrire – au lycée. Quand nos regards s'étaient croisés, l'instant d'une seconde, ils avaient affi-

ché notre surprise de nous trouver là. Bien entendu, voir une élève de terminale littéraire assister à une rencontre consacrée à la littérature américaine n'était pas, en soi, un événement, mais elle faisait partie de ce groupe de pseudo-libertaires qui semblaient s'intéresser uniquement aux marques de distinction corporelles et vestimentaires. Sans doute ma présence était-elle plus surprenante à ceux qui voyaient en moi seulement un sombre et solitaire élève de terminale scientifique. Durant le séminaire, tout comme elle, je n'avais pas pris la parole, me contentant d'apprécier certaines lectures en bravant parfois son regard. Pourquoi m'attirait-elle ? Je ne sais pas. Parce qu'elle donnait l'impression d'être fragile et forte à la fois ? Parce que ses airs d'insoumise contredisaient la douceur de son regard ? Elle m'intriguait, voilà tout.

Quand vint mon tour de prendre la parole pour présenter une œuvre, je la vis se redresser. Je m'étais levé en tenant un roman à la main : La Maison du bout du monde, *de Michael Cunningham, avais-je annoncé. J'avais expliqué pourquoi j'avais aimé ce titre, en quelques mots seulement, sans la quitter des yeux, comme si je ne m'adressais qu'à elle et avais lu un extrait.*

Puis arriva son tour et elle se présenta d'une voix un peu forte. Elle donna ensuite le nom d'un auteur que je ne connaissais pas. À en juger par la réaction des enseignants présents, il leur était également inconnu. Ils demandèrent plus d'explications mais elle s'en tint à une réponse lapidaire : « Elle n'est pas connue, je l'ai trouvée par hasard. Peu importe qui elle est, ce qui compte c'est ce qu'elle écrit. » Et elle récita un poème aux vers et images torturés. Elle le déclama par cœur, les yeux perdus dans le fond de la salle, les mains légèrement tremblantes.

Lorsque nous sortîmes du séminaire, elle marchait devant moi, d'un pas précipité. Bien que rien dans son attitude ne m'y invitât, je l'avais alors interpellée.

— Je peux te parler ?

— Je suis pressée, répondit-elle, d'un ton dissuasif.

— Je veux juste savoir. L'auteur dont tu as lu ce poème...

— Oublie. J'aurais pas dû réciter ça.

— Si, c'était... intéressant.

— Intéressant, répéta-t-elle, en me jetant un regard courroucé avant de s'engouffrer dans le flot des élèves en train de sortir du lycée.

Depuis, quand nous nous croisions, elle m'adressait un signe de la tête suffisamment discret pour servir de salut et, en même temps, me tenir à distance. Je n'eus aucune autre occasion de lui parler et cela me contrariait. Aussi étais-je venu à cette fête avec la résolution de l'aborder enfin.

Ma dernière chance.

Les amis de Julia se ruèrent sur la piste en bousculant tout le monde.

Elle se dirigea vers le bar, se servit un verre de sangria et commença à se balancer imperceptiblement sur un rythme différent de celui de la musique. Elle parcourut la salle du regard et, quand ses yeux rencontrèrent les miens, elle s'immobilisa. Ayant laissé apparaître son trouble, elle se donna une contenance en levant son verre pour me saluer puis, aussitôt, se retourna.

Tétanisé, je n'avais pas eu le temps de lui répondre. Aussi, je me dirigeai vers le bar. Mais elle avait disparu. Fébrile, je changeai de place pour tenter de l'apercevoir. Était-elle déjà partie ?

— Merde, où elle est passée, râlai-je.

— Si tu me dis qui tu cherches, je peux t'aider, ricana une voix derrière moi.

Je sursautai. Elle était près de moi, souriante, sûre d'elle.

— Une amie... bredouillai-je, elle m'a planté depuis une heure maintenant.

— Je vois, dit-elle, d'un air narquois.

Touché, j'eus envie de dézinguer son sourire.

— Alors, quoi de neuf depuis que tu nous as lu un de tes poèmes ?

Elle se braqua, me défia. Je l'avais atteinte et m'en voulais déjà.

— Tu savais qu'il était de moi ?

— Sur le moment, j'ai eu des doutes. Mais les indices ne manquaient pas... Cet auteur inconnu, ta façon d'éviter les questions des profs, tes lèvres qui tremblaient. Et ta réaction, à la fin. J'ai ensuite cherché sur l'ordinateur de l'école des traces de l'auteur que tu avais cité... Rien.

— J'ai dû te paraître ridicule, dit-elle en pointant son menton vers moi.

— Non, courageuse.

— Je voulais soumettre un de mes textes au jugement de personnes averties, argua-t-elle. Pour savoir ce que ça valait. J'ai compris que je n'étais pas douée.

— Ça fait longtemps que tu écris ?

— Oui, admit-elle avec pudeur. Dans mes rêves, je m'imagine écrivain. Dans la réalité, je pense devenir prof de littérature. Et toi ? Pourquoi suis-tu une filière scientifique si tu es passionné par la lecture ?

— Opposer la science et la littérature est un peu cliché, non ? J'aime la littérature mais... elle me perd. Tous les sentiments qu'elle procure me désorientent. Je ne suis pas doué avec les mots. Pourtant, j'en ai besoin. La science, elle, me rassure. Il n'y a rien de plus apaisant qu'une équation, vois-tu. Un théorème, une méthode, un résultat.

— C'est une façon de voir les choses. Moi, la science m'angoisse. Vouloir tout classer, tout ordonner, je trouve ça déprimant. Quelles études veux-tu faire ?

— Aucune idée. Une école de commerce sans doute. La réalité ne m'inspire pas beaucoup.

— C'est triste, fit-elle remarquer.

— As-tu écrit d'autres poèmes ?

— Non, je suis trop nulle.

— Je peux être sincère ? Il y avait de belles images dans celui que tu as récité mais c'était un peu confus. Bon, en même temps, je ne suis pas bien placé pour en parler, je n'aime pas la poésie.

— Merci d'être franc. C'est parce que tu es aussi direct que tu n'as pas d'amis ? lança-t-elle, moqueuse.

Un visage tendre, une attitude belliqueuse, le contraste me bouleversa.

— Peut-être. Ou alors c'est parce que la solitude me paraît plus agréable que la compagnie de crétins, répliquai-je en jetant un coup d'œil sur sa bande de néo-punks. Tu peux me dire ce qu'une fille comme toi fout avec ces ados attardés ?

— C'est pas un peu cliché de se forger un avis sur un look ? Derrière leurs déguisements, vois-tu, il y a des êtres fragiles, tendres, sensibles. D'ailleurs, si je m'arrêtais aux seules apparences, je ne t'aurais jamais adressé la parole.

— Ah bon ? De quoi j'ai l'air ?

— D'un mec seul, arrogant, un peu fou même. Ça, c'est ce que je vois. Et il y a ce que l'on dit de toi. Tout le monde te trouve bizarre.

Elle observa mon visage comme si elle cherchait à confirmer ses propos.

— Je sais. Je ne suis pas très sociable. Qu'est-ce qu'on raconte sur moi ?

— On dit également... que tu n'as pas de parents. Que tu as été élevé par tes grands-parents.

Je tentais de dissimuler mon trouble en affichant une prestance de façade.

— Bon, ne va pas croire que tu sois un sujet de conversation pour l'ensemble du bahut, poursuivit-elle d'un ton désinvolte. Disons plutôt que ce sont les informations que j'ai obtenues.

— Tu te renseignes sur moi ?

— Je suis curieuse de nature. Alors ?

— C'est vrai.

— C'est pour ça que tu es si... taciturne ?

— Je ne sais pas. Peut-être est-ce simplement par calcul. Tu ne peux pas imaginer à quel point le rôle d'orphelin sombre et malheureux plaît aux adolescentes tourmentées. Elles pensent toutes parvenir à me consoler.

— Et tu crois que j'aimerais aussi jouer ce rôle ?

— En tout cas, tu éprouves un certain intérêt pour moi.

Julia sourit. Sa dentition parfaite lui donnait maintenant un air de petite fille sage.

— *Penses-tu que cet intérêt soit aussi fort que celui qui t'a amené à me chercher tout à l'heure et à pester parce que tu ne me voyais plus ?*

Je plantai mes yeux dans les siens.

— *Non. À mon sens, je suis plus attiré par toi que toi par moi.*

Ma franchise la troubla.

— *Qu'est-ce qui te fait dire ça ?*

— *La façon dont tu m'as évité après le séminaire.*

— *En fait... J'avais besoin de temps pour... comprendre pourquoi tu me plaisais.*

— *Ah ? Et maintenant ?*

— *Je suis prête à te suivre si tu m'invites à finir la soirée ailleurs.*

Mon cœur s'affola. Je cherchai une réplique, n'en trouvai pas. Je lui pris alors la main et l'entraînai vers la sortie.

Mon premier amour.

Mon seul amour.

Le doute

Il sortait de l'immeuble qui abritait son bureau, accompagné d'un petit homme dégarni. Ce dernier parlait en agitant les mains et Noam souriait. Je les vis traverser la rue en direction du café où je me trouvais. Comme à chaque fois, je sentis mon cœur se serrer. J'observai son visage, son allure. Il paraissait détendu, sûr de lui. Quel bel homme, ai-je pensé. Le genre d'homme dont la beauté et le charisme attirent les femmes mais dont le regard, profond, presque inquiétant, tient les plus suspicieuses à distance. Comme je le prévoyais, ils entrèrent, s'assirent à leur table habituelle. Juste à côté de la mienne.

Noam me tournait le dos, mais je n'avais jamais été aussi proche de lui. Je parvins même à identifier son eau de toilette malgré l'air saturé d'odeurs de cuisine.

Cette proximité me troubla autant qu'elle me réconforta. Pour la première fois, il me parut accessible. Je pouvais, si je le voulais, me retourner et lui parler. Tout lui dire. Déverser ces mots qui pesaient sur mes lèvres et sur mon âme. Mais lui révéler quoi, au juste ?

Quand le petit homme termina sa diatribe, Noam répondit et sa voix vint heurter mon esprit. Je l'avais imaginée douce mais elle était puissante. Un timbre rauque dont la fragilité se révélait dans certains accents éraillés qui marquaient la fin de ses phrases. Noam expliqua sa position concernant une affaire qu'ils devaient traiter. Son propos était mesuré, ferme, convaincant. Puis ils abordèrent un autre sujet, plus intéressant pour moi. Son collègue lui reprocha ses incessantes sorties nocturnes, la futilité de ses relations. Des critiques qui amusèrent Noam et qu'il balaya de réponses lapidaires et pleines d'humour.

Cela me fit du bien de l'entendre rire.

Je restai presque une heure à épier leur conversation, tout en feignant de lire un livre. Et tout ce que j'entendis confirmait ce que je savais de cet homme.

Il n'avait pas besoin de ma vérité. Elle n'appartenait qu'à moi. La lui offrir relevait d'un acte égoïste.

Et si je savais que la mort scellait nos vies, rien ne m'autorisait à croire que le lui expliquer l'aiderait à vivre mieux.

Je me levai et sortis.

Chapitre 2

Élisa tendit une tasse à Noam.

— Infusion aux vertus apaisantes, annonça-t-elle en faisant la moue. C'est tout ce que j'ai trouvé dans ton placard. Il faut que tu penses à faire les courses, petit frère.

Noam posa un regard tendre sur sa sœur. Il admirait son élégance, l'air détaché qu'elle affichait en toutes circonstances, sa force de caractère. Mais, au-delà de ces considérations objectives, ce qu'il appréciait sans doute le plus était l'affection quasi-maternelle qu'elle lui manifestait.

— Qu'as-tu à m'observer comme ça ? questionna-t-elle.

— Tu es magnifique.

— Tu es le seul homme à le penser, Noam.

— Je suis plutôt le seul homme à l'exprimer.

Élisa s'assit en face de Noam et passa la main dans les cheveux de son frère pour dompter sa mèche rebelle.

— Je vais rendre visite à papa, lâcha-t-elle.

Le visage de Noam se durcit.

— Encore ?

— J'y vais chaque semaine, tu le sais très bien.

— Alors pourquoi systématiquement me prévenir ?

— Parce que j'ai toujours l'espoir que tu te décides à m'accompagner.

Il se leva, alla se placer devant la fenêtre.

— À quoi ça sert ? Il ne te reconnaît pas.

— Parfois sa maladie lui accorde un répit et il se souvient, m'appelle par mon prénom et nous discutons.

— Quelle maladie ? Il avait oublié nos prénoms avant même que son cerveau soit cramé.

— Ne sois pas comme ça, Noam. Comment peux-tu encore en vouloir à un homme âgé qui a perdu la tête ?

— Je te rappelle que c'est lui qui m'en voulait.

— Ça, c'est ce que tu t'es raconté.

— Écoute, changeons de conversation, suggéra Noam, las.

— Non ! J'aimerais vraiment que tu m'accompagnes cette fois.

Noam se tourna vers sa sœur.

— Tu plaisantes ?

— Je suis sérieuse. Bientôt il ne sera plus là et tu t'en voudras.

— Toute sa vie m'a renvoyé à ma culpabilité. Alors, sa mort...

Élisa se leva brusquement.

— Ne parle pas de cette manière ! Je te l'interdis !

Noam se détourna et laissa tomber ses épaules.

— Je suis désolé, marmonna-t-il. Je voulais simplement dire que je ne pourrais pas me sentir plus coupable que lorsqu'il ne s'intéressait pas à moi.

— C'est vrai, il n'a jamais été présent pour nous. Mais il aimait tellement maman… Tu dois tenter de le comprendre, Noam. Ça fait des années que tu ne l'as pas revu. Je suis certaine que lui rendre visite t'aiderait.

— M'aiderait ? Mais à quoi ?

— À échapper au passé.

— Épargne-moi les considérations psychologiques à deux balles, s'il te plaît.

— Enfin Noam… je suis persuadée que si tu refuses de construire ta vie, c'est parce qu'une partie de toi est restée accrochée aux événements qui ont bouleversé la nôtre.

— Je connais ta théorie, Élisa. Mais, contrairement à ce que tu penses, j'ai construit ma vie. J'ai un bon boulot, des amis, une vie sociale…

— De qui tu te moques ? Tu n'aimes pas ton travail, tu n'as qu'un seul ami et ta vie sociale se résume à des sorties en solitaire.

Si la description se révélait brutale, elle n'en était pas moins vraie ; Noam ne trouva aucun argument à opposer.

— Il y a bien longtemps que tu ne m'as pas raconté avoir rencontré une fille, continua Élisa, d'une voix moins agressive, regrettant d'avoir heurté son frère. Tu es seul en ce moment ?

— Oui. Je n'arrive pas à m'intéresser aux filles que je rencontre, admit-il.

— Parce que tu redoutes de tomber amoureux. Cela te conduirait à envisager l'avenir à deux, puis à trois. Mais tu rejettes jusqu'à l'idée d'être mari et père.

Noam haussa les épaules.

— Mon cœur est sec, c'est ça ?

— D'une certaine manière, oui. Pas totalement, bien entendu, puisque tu nous couves d'amour, Anna et moi. Mais tu refuses les sentiments qui te conduiraient à affronter de nouvelles responsabilités.

— J'ai déjà été amoureux.

— Oui, je sais... Julia, répondit Élisa sur le ton de la lassitude. Encore et toujours Julia. Mais depuis, plus rien. Et je suis sûre que tu es tombé amoureux d'elle parce que tu savais qu'elle... t'abandonnerait.

— Peut-être, reconnut-il, triste.

Élisa approcha de son frère, passa son bras autour de sa taille.

— Je ne te demande qu'une chose, petit frère : réfléchis à l'idée de cette rencontre.

— J'y réfléchirai, concéda-t-il.

Elle déposa un baiser sur son épaule et alla chercher sa veste.

— Anna te réclame.

— Anna... soupira-t-il avec tendresse. Dis-lui que je passerai la voir demain.

Quand Élisa fut partie, Noam resta un moment les yeux dans le vague. L'évocation de son seul amour l'avait plongé dans la mélancolie et il se dirigea vers un placard pour en exhumer une vieille caisse. Après l'avoir ouverte, il demeura un instant indécis, observant avec méfiance ses vieux carnets de confidences. Il saisit le plus ancien. Le premier texte datait du lendemain de sa dernière visite chez le docteur Laurens. Il lut les quelques pages, sourit. Sans doute, à cette époque était-il plus proche du bonheur qu'il ne pourrait jamais l'être. Il lut la confidence suivante, datée du 3 septembre 1988, lendemain de leur séparation. Son cœur battit la chamade. Noam fut surpris de constater que le temps n'avait pas su affaiblir la douleur. Elle se trouvait encore là, tapie dans l'ombre de ses phrases, prête à bondir. À travers la naïveté de son texte, il avait seulement tenté d'anesthésier son désespoir en substituant des mots aux émotions. Pourtant, il avait alors encore le faible espoir que tout n'était pas fini, que la vie lui offrirait l'occasion de revoir Julia.

Je pris la main de Julia dans la mienne.

— On est censé se dire quoi ? demandai-je.

Elle haussa les épaules. Face à nous le jardin du Luxembourg étalait ses larges allées. C'était notre lieu, notre heure. Nous nous y étions donné rendez-vous presque chaque matin depuis deux mois. Nous aimions nous asseoir face au grand bassin et voir la légère brume matinale tenter de s'accrocher encore un peu aux eaux froides. Quelques joggeurs passaient au loin, sur les allées extérieures, casque sur les oreilles, concentrés sur leur rythme.

Mais nous étions seuls et ce parc était notre monde.

— Si nous étions un couple normal, nous promettrions de nous revoir, dirions que tout n'est pas fini, des trucs de ce genre, murmura-t-elle.

— Mais nous ne sommes pas un couple normal, n'est-ce pas ?

Julia posa ses yeux sur ma bouche et j'eus l'impression qu'elle hésitait à m'embrasser.

— Non. Nous n'aimons pas les mensonges.

— Parce que ce serait forcément un mensonge ?

— Disons que nous ne pouvons en être sûrs. Donc l'affirmer reviendrait à mentir.

Je hochai la tête comme pour acquiescer alors qu'un feu brûlait en moi, m'incitant à argumenter. Mais j'avais si peur de la décevoir.

— Pourquoi regardes-tu ma bouche comme ça ?

— À ton avis ?

— Tu te demandes quels mots ces lèvres auraient pu te dire si nous avions continué à nous voir ? Ou tu te souviens des moments passés à m'embrasser ?

Julia esquissa une moue amusée.

— C'est plus con que ça. Je pensais aux autres bouches qui viendront se poser sur la tienne et je suis morte de jalousie.

— Un peu comme si nous étions un couple normal ?

Du bout des doigts, elle caressa mes lèvres. La tendresse de ce geste me bouleversa.

Nous avions passé deux mois à nous aimer. Deux mois pendant lesquels, chaque matin, nous nous étions retrouvés dans ce parc, parfois ailleurs, et ces rendez-vous avaient été un émerveillement. Le matin, nous prenions notre café à la Buvette des Marionnettes puis marchions un peu. Ensuite, elle allait travailler, un job de saison, serveuse dans un fast-food. Moi, je retournais à mes révisions, presque toujours rendues impossibles par mon impatience de la revoir. Le soir, j'allais la chercher à la sortie du restaurant, l'accompagnais chez elle, l'attendais pendant qu'elle se douchait et se changeait puis nous allions déambuler dans un Paris rempli de touristes, heureux d'être ensemble, d'être un couple. Nous dînions puis terminions la soirée chez moi. Elle disait aimer mon petit appartement, m'envier cette indépendance qu'elle estimait précoce. Elle y voyait le signe d'une maturité séduisante, rassurante même, alors qu'elle n'est que la conséquence d'une vie chaotique. Mes grands-parents habitent la campagne, ma sœur finit ses études dans le Nord de la France et mon père, depuis bien longtemps déjà, ne s'intéresse plus à moi. Cette pseudo-autonomie est donc financée par l'argent qu'il m'envoie. Un fric maudit car versé par l'assurance afin de payer mes études.

J'avais raconté à demi-mot mon enfance tourmentée. Une façon de lui prouver mon attachement. Elle n'avait posé aucune question. « Chaque être n'est que la somme de ses drames », avait-elle simplement dit.

Et maintenant, nous étions parvenus au terme de notre histoire et cette situation me révoltait.

— Tu considères notre séparation comme définitive ? demandai-je.

— Je préfère être lucide, Noam. Je pars à New York rejoindre mon père et ne pense pas revenir de sitôt. La lucidité est une arme contre la souffrance.

— Peut-être que cet hiver…

— Oui, peut-être, m'interrompit-elle, contrariée. Ou pendant les vacances de Pâques. Ou dans un an. Mais peut-être aussi que… non.

— On peut s'écrire, se téléphoner ! m'insurgeai-je.

— Non. Les mots les plus beaux sont ceux que nous n'avons jamais prononcés. Ils étaient dans nos regards, dans nos silences. Que pourrait-on se raconter au téléphone ? Notre histoire est exceptionnelle et je ne laisserai pas la banalité la ternir.

Il y avait quelque chose de puéril dans sa posture d'amoureuse idéaliste résolue à souffrir et, pourtant, j'acceptais sa vision, son choix parce qu'ils étaient sincères.

— Mais alors, quelles chances nous donnons-nous de nous revoir un jour ? Les moments passés ensemble n'ont donc aucun avenir ?

— J'ai confiance en la vie, elle sait être ingénieuse.

Ce que j'aime chez elle est aussi ce qui m'exaspère le plus : ses certitudes, son extrémisme en matière de sentiments. Une forme naïve de romantisme qui conduit Julia à trouver son bonheur dans la mélancolie autant que dans le plaisir de l'instant. Sans doute est-ce la raison pour laquelle nous ne nous sommes jamais dit « je t'aime ». Parce qu'elle préférait ne pas imprimer de mots sur ses sensations, ne pas les définir. J'ai parfois douté de son amour et, dans ces moments-là, j'imaginais qu'elle cherchait simplement à vivre des instants d'émotions intenses.

Pourtant, au moment de la quitter, j'ai voulu lui dire « je t'aime », histoire de déchirer enfin le voile de ces agaçantes chimères, de rompre le sort qui nous conduisait à nous séparer sans promesse de nous revoir. Pour la décevoir ou provoquer une réaction qui nous amènerait à sortir du brouillard sentimental dans lequel nous étions perdus.

Je n'ai pas osé.

Sa vie l'attend ailleurs. La mienne est ici.

Une vie sans elle.

Une vie où aucune autre chance de dire « je t'aime » ne me sera offerte.

En quelques secondes, le pub tranquille se transforma en discothèque. Les lumières se tamisèrent et la sono renonça aux murmures d'un jazz hypnotique pour cracher une musique au rythme lourd et agressif. Noam sortit de sa torpeur et promena sur la salle un regard ahuri. Depuis combien de temps était-il là ? Combien de verres avait-il bus ? À quoi avait-il pensé pendant tout ce temps ? Son esprit, porté par les vapeurs d'alcool, avait vagabondé d'images en mots, d'idées en souvenirs, sans jamais s'arrêter sur l'un d'eux. Il se résolut à rentrer chez lui, paya ses consommations et se dirigea vers la sortie.

— Noam ?

La fille qui venait de l'interpeller affichait un large sourire et semblait attendre, en retour, la même manifestation de joie.

Il parcourut ses traits, ses cheveux blonds, son regard vif, sa bouche aux lèvres engageantes... Il connaissait ce visage mais ne pouvait lui donner de nom ni le rattacher à un souvenir précis. Il composa une mimique de circonstance et la salua.

— Tu partais ? questionna-t-elle.

— Oui... je suis fatigué, bredouilla-t-il, fouillant dans sa mémoire à la recherche de l'identité de son interlocutrice.

— Oh... dommage.

Elle dit quelque chose qu'il n'entendit pas. Elle se pencha et, à son oreille, haussa la voix.

— Ça fait longtemps, répéta-t-elle. Tu ne veux pas rester un peu ? J'attends des amies.

C'est à son parfum qu'il la reconnut. Une ancienne conquête, rencontrée dans ce pub, ou un autre, il ne savait plus. Tout comme il ne savait plus son prénom. Il en était là : ne plus reconnaître celles avec qui il passait ses nuits, devoir les renifler pour les identifier.

Noam aurait aimé dire non, tourner les talons et sortir du bar mais elle prit son hésitation pour un assentiment, lui saisit le bras et l'entraîna vers une table.

— Tu ne m'as jamais rappelée, Noam, hurla-t-elle, atténuant son reproche d'un clin d'œil mutin.

— Le travail... débordé, s'excusa-t-il.

Elle commanda un Bloody Mary, lui un Jack Daniel's.

Que pouvait-il raconter ? Que faisait-il aux côtés de cette fille dont il ne savait rien ?

Ce fut elle qui prit la parole. Elle évoqua son travail de commerciale pour une marque de cosmétiques. La musique, assourdissante, étouffait certaines syllabes et il ne percevait pas ce qu'elle lui confiait. Alors, il se contentait de hocher la tête, de sourire quand elle souriait. Combien de temps allait durer cette comédie ? Il aurait voulu se lever et s'en aller mais ne trouvait ni l'énergie ni l'opportunité d'agir ainsi.

La vacuité de sa vie lui parut pouvoir être résumée à celle de l'instant : être seul en compagnie des autres, mimer la conversation, éprouver le désir de partir sans en avoir le courage, subir. Renonçant à comprendre ce qu'elle lui disait, il l'observa. Était-elle vraiment belle ou seulement savamment apprêtée ? Elle devait avoir près de trente ans. Au coin de ses yeux et sur sa lèvre supérieure quelques rides se dessinaient déjà. Cédant à son obsession, il imagina la vieille femme qu'elle deviendrait. Oui, elle était encore jolie mais cela ne durerait pas. Bientôt, sa peau se distendrait, ses paupières tomberaient lentement sur des yeux dont l'éclat se ternirait, comme deux rideaux se ferment sur un spectacle achevé. Il ne luttait plus contre la pulsion qui l'amenait trop souvent à imaginer ses interlocuteurs à la fin de leur vie, vieux, malades et, parfois, morts, le corps raide, la peau bleutée, fripée et tendue sur des os saillants.

La mort, encore et toujours. La sienne, celle de ses proches, celle des inconnus qu'il croisait, celle de l'ensemble de ses contemporains. Il se souvint d'une phrase écrite dans son carnet de confidences, alors qu'il exprimait cette obsession : « Le monde n'est qu'un grand cimetière, un amas de terre jeté sur les milliards d'êtres que l'univers a créés, illustres ou inconnus, riches et pauvres et sur lequel osent danser ceux qui se croient éternels. » Pourquoi ces sombres pensées ? Pourquoi cette lucidité morbide l'amenait-elle si souvent à réaliser le défilé trop rapide des années, la précarité de la vie ? Était-ce parce qu'il avait quitté les rives de la jeunesse et, qu'à ce stade, il savait la traîtrise du temps, sa capacité à fuir les beaux instants pour se réfugier dans la promesse de sa fin ? Ou s'agissait-il de l'expression d'un trouble psychologique qui prenait racine dans sa précoce prise de conscience de la fragilité de l'existence ? Noam était incapable de répondre à ces questions, incapable de les éluder aussi, incapable de s'empêcher de sombrer chaque jour un peu plus.

Au milieu de son monologue, son interlocutrice se redressa et son mouvement le ramena à l'instant. Elle adressa un signe à un groupe de filles qui venaient d'entrer et qui la rejoignirent en gloussant, coulant des regards intéressés vers Noam.

— Je vais vous laisser entre filles, annonça ce dernier en se levant.

Il fallait qu'il parte, qu'il s'échappe, se retrouve au calme.

— Ah ! non, restez avec nous, s'exclama une petite brune. Pour une fois que l'on tient un beau mec !

La marrante du groupe, pensa-t-il. Il lui sourit, sortit un billet, le déposa sur le bar, salua son ex-conquête, et, sans plus d'explications s'en alla sous les regards surpris des amies de celle-ci.

Dehors, il respira profondément puis prit la direction de son domicile. Il était une heure du matin.

Noam rentra, se détendit sous une douche et s'allongea sur son lit.

Il tenta de reprendre la lecture d'un roman là où il l'avait laissée mais ne trouva pas la concentration nécessaire. Son esprit refusait toute fuite vers des mondes imaginaires. Il devait affronter ses ombres.

Alors, il alluma une cigarette, ferma les yeux.

La musique résonnait encore à l'intérieur de son crâne.

La musique et ces voix qui, parfois, venaient lui parler. Qui étaient-elles ? Que lui voulaient-elles ? Il ne le savait pas. Il s'était habitué à leurs incohérents murmures les soirs où il n'allait pas bien et n'essayait plus ni de les comprendre ni de les ignorer.

*
* *

Il était trois heures du matin quand Noam sentit la crise arriver. Il se redressa, s'assit au bord du lit, alluma la lampe de chevet et guetta les symptômes : sa poitrine prise dans un étau, l'écho des battements de son cœur dans ses oreilles, la difficulté à respirer, la transpiration sur son front. Il devait endiguer la crise, ne pas la laisser se propager et l'entraîner dans l'habituel cauchemar.

Se lever, faire quelques pas.

Surtout ne pas rester allongé. Les morts sont allongés, les vivants debout.

Allumer les lumières, toutes les lumières.

Dissiper l'obscurité dans laquelle la mort se cachait, attendant patiemment le moment propice pour se jeter sur lui et l'emporter.

Du bruit. La vie, c'est le mouvement, la lumière et le bruit.

Il marcha jusqu'à son salon, essayant de reprendre la maîtrise de son souffle, saisit la télécommande de son téléviseur et l'actionna.

Il fallait une émission superficielle, une voix féminine de préférence, des rires.

La vie est superficielle, féminine et amusante.

Il trouva une chaîne musicale. Des clips. Des femmes et des hommes qui dansaient, heureux.

La transpiration perla sur son front.

Il devait résister, ne pas laisser la peur prendre le contrôle. Oui, le pire, c'était la perte de contrôle. Ou plutôt la prise de contrôle de son esprit par une force inconnue venue lui offrir une lucidité morbide, faisant émerger des tréfonds de son histoire ses années vides de sens.

Sa conscience lui poserait alors les trois mêmes questions : Qui es-tu, Noam Beaumont ? Qu'as-tu fait de ta vie ? À qui es-tu utile ?

Il connaissait les réponses, les fuyait depuis toujours.

Il sentit sa respiration s'emballer. Ce fut comme si on versait un liquide glacé à l'intérieur de son crâne.

Le souffle froid de la mort ?

Il voulut se mettre à marcher plus vite, pour sentir le sol sous ses pieds. Mais non, il devait se calmer, s'allonger, ne pas paniquer. Résister à la lucidité. Chercher l'engourdissement.

Il ne voulait rien voir, rien comprendre, rien envisager.

À chaque fois, c'était comme si quelqu'un actionnait un interrupteur à l'intérieur de son cerveau et qu'une lueur éclatante venait en éclairer les moindres recoins. Alors, il voyait tout. Toutes ses erreurs, toutes les souffrances, son imbécillité, son inconséquence. Une clairvoyance qui niait le temps et présentait les instants qui suivraient sa mort. Son corps inanimé, l'ambulance, la morgue. Les pleurs de ses proches. Le cercueil. Et la terre qu'on jetait sur lui et qui l'étouffait encore.

Puis l'oubli.

La vie qui recommençait sans lui, sans réaliser son absence, comme s'il n'avait jamais existé. Lui parmi les milliards d'autres, sous terre, plus anonyme et inutile que jamais.

Des crises d'angoisse. C'est ainsi que la médecine qualifiait ces chutes à l'intérieur de lui-même.

Crises d'angoisse, attaques de panique...

Des mots, pas de traitement, juste des conseils et des pis-aller.

Il avait déjà gagné contre elles. Cette idée le rassura. Il vaincrait encore cette fois-ci. Il le pouvait.

Il respira profondément, essaya de se détendre.

Peu à peu, il sentit les ombres lentement refluer, perdre du terrain, quitter son corps.

Les battements de son cœur s'apaisèrent, ses muscles se décontractèrent. Enfin.

Il n'avait eu que deux heures de sommeil. Un sommeil agité, hanté. Il ne se rendormirait plus.

Il erra dans l'appartement et aperçut la caisse contenant ses carnets de confidences. Écrire ? Pourquoi pas. Il y avait si longtemps qu'il n'avait eu recours à cette méthode pour évacuer son anxiété. Il hésita, ouvrit le dernier cahier à la page suivant sa dernière confession et saisit un stylo.

Je reprends mon stylo, mes carnets de confidences et, après tant d'années, me voici de nouveau face à moi. Pourquoi m'être privé si longtemps de ces rendez-vous intimes ? J'avais commencé à écrire avec incertitude, puis, l'expérience m'ayant plu, ces confidences s'étaient succédé à un rythme régulier. Quand j'ai cru devenir adulte, j'ai prétexté ne plus avoir le temps et mes notes se sont espacées jusqu'à ce que la pratique perde son sens. Sans doute était-ce une erreur. Je trouvais un certain réconfort dans ces rendez-vous. Mes confessions m'obligeaient à revenir sur les faits, à les considérer avec l'impartialité que confère le temps quand il n'est plus celui de l'action. Et j'arrivais à poser des mots sur mes troubles, à formuler mes désirs et mes craintes, à tenter d'absorber le trop- plein d'émotions grâce au buvard de mes phrases. On ne devient pas adulte en abandonnant l'enfant que l'on a été mais en lui tendant la main pour le faire grandir.

Serais-je moins sujet à l'anxiété si j'avais continué à écrire et à exorciser la violence de sentiments qui ne disent pas leur nom ?

Quand je reprends les notes d'autrefois, j'ai l'impression que mes mots n'ont aucune valeur au-delà du dessin tracé sur les pages. Comme sur un électrocardiogramme, leurs courbes indiquent l'état de mon esprit. Certaines fois, les lignes sont régulières, d'autres, les propos se tordent, les paragraphes oscillent. Le sens est à trouver dans la forme. Les faits, pour la plupart, n'ont plus d'importance. Les lire me donne juste l'impression de découvrir le journal intime d'un type que j'aurais vaguement connu.

Seules les pages consacrées à Julia parviennent à me connecter au passé.

Mes autres souvenirs ne m'appartiennent plus, ou si peu. Tout au plus racontent-ils l'histoire d'un homme que j'ai fini par abandonner pour tenter de me délester de ses questions.

C'est comme s'il y avait autant de Noam que de pages dans ces cahiers. Chacun est né pour vivre l'instant et s'est éteint avec lui. Et aucun ne me ressemble. Aucun ne peut me dire qui je fus. Sauf celui qui a aimé Julia.

Les souvenirs n'appartiennent qu'à ceux qui ont su vivre les instants de leur vie. Ils prennent leur place dans un album de photos et racontent une histoire. Quand l'existence n'a été qu'une attente, on ne possède que les cartes postales adressées par nos regrets de lieux où nous ne sommes pas allés et de personnes que nous n'avons pas connues.

— Qu'est-ce que c'est que cette tête de déterré ? lança Samy lorsque Noam entra dans le bureau.

Celui-ci apprécia l'ironie involontaire de l'expression et, sans répondre, déposa une tasse de café sur le bureau de son collègue.

— Merci, mais à mon avis, tu as plus besoin de caféine que moi. T'as encore passé une mauvaise nuit ?

— Ce que j'aime chez toi, Samy, c'est ta pertinence. Demander à un insomniaque, sujet à des crises d'angoisse, s'il a encore passé une mauvaise nuit, franchement, c'est...

— Oh, ça va, je voulais juste faire la conversation, maugréa Samy.

Noam observa du coin de l'œil celui avec lequel il partageait son bureau et ses états d'âme. Samy était son seul véritable ami. Pourtant, lors de leur première rencontre, alors qu'il venait d'être embauché, Noam avait douté pouvoir s'entendre avec cet homme petit, rond et dégarni dont le regard et le sourire avenant affichaient une jovialité trop lumineuse pour être sincère. Mais la constance de son collègue, son optimisme forcené, sa joie de vivre aussi, après l'avoir étonné, voire agacé, avaient fini par le séduire.

— Excuse-moi, mais, en effet, j'ai mal dormi. Je suis de mauvais poil.

— Tant mieux. Une rude journée nous attend. Et si tu parviens à transformer ta mauvaise humeur en combativité, nous pourrons nous en sortir.

— De quoi parles-tu ?

— Le boss nous demande de renégocier les accords commerciaux conclus pour le compte de la SPAC. Il réclame cinq points de plus.

— Mais c'est aberrant ! s'emporta Noam. Les prix obtenus sont les plus compétitifs du marché.

— Ce n'est pas ce que le patron pense. Il veut une révision des accords passés avec les fournisseurs pour accroître notre marge. Selon lui, la crise a changé la donne et nous devons surfer sur la fébrilité ambiante pour faire baisser nos coûts.

— Mettre le couteau sous la gorge des fournisseurs ? C'est pas moral.

— Moral ? Comme si ce terme faisait partie du vocabulaire de Duchaussoy. Un conseil : ne t'avise jamais de prononcer ce mot devant lui autrement que pour décrire ton état d'esprit et en le faisant précéder de l'adjectif « bon ».

Noam s'affala dans son fauteuil.

— On fait un boulot de cons.

— Il n'est pas plus stupide qu'un autre. Tu négocies, je gère. Moi, ça me va.

— Négocier des produits que nous ne verrons jamais, rogner sur la qualité, sur les délais... l'interrompit Noam. Nous sommes des artisans de l'inutile, des brasseurs de chiffres, des bonimenteurs à grande échelle.

Samy Dubois coula un regard inquiet en direction de son collègue.

— Ça y est, il me fait une nouvelle crise existentielle, ironisa-t-il.

— Tu ne te poses jamais de questions sur le sens de tout ça, toi ?

— Le sens de quoi, Noam ?

— Le sens de ce que nous entreprenons chaque jour ici ? À quoi cela sert-il ? Nous participons à l'agitation environnante, à la ruée des consommateurs sur des produits asiatiques moins coûteux et de qualité douteuse uniquement pour permettre aux actionnaires de la boîte d'entretenir leurs belles voitures, leurs nombreuses maîtresses et leurs enfants dégénérés.

Samy haussa les épaules.

— Tu vois, j'adhérerais à ton discours s'il s'inscrivait dans une pensée politique construite ou exprimait un intérêt pour tes contemporains. Mais, tu ne milites pas et ne t'intéresses à personne. Tu ne t'interroges jamais sur la manière dont tu pourrais contribuer à rétablir la justice, à œuvrer pour plus d'égalité. Non, tu ne fais rien pour changer ce qui ne te plaît pas, ni même modifier les paramètres de ta propre existence. Pire, tu te places au centre du monde et tu l'observes telle une victime incapable d'agir. Tu subis ta vie, te contentes de dénoncer son absurdité. Je te l'ai déjà dit, Noam, on ne peut pas aimer les autres quand on ne s'aime pas soi-même. Moi je suis plutôt heureux de faire un boulot qui me rapporte un bon salaire et permet d'offrir à ma femme et mes enfants des conditions de vie somme toute agréables.

— C'est vrai, nous gagnons plutôt bien notre vie. Mais à quoi sert ce fric ? Nous n'avons pas le temps de le dépenser. À assurer nos vieux jours ? Sait-on si nous vivrons suffisamment longtemps pour connaître la sérénité de la retraite ? Une crise cardiaque et hop, tout est fini ! Une rupture d'anévrisme et on disparaît ! Un cancer, que sais-je ! Et, dans mon cas, même si je parviens à l'âge de retraite, je serais trop fatigué ou... seul pour en profiter. J'aurai bientôt quarante ans et je n'ai encore rien fait de ma vie.

— Hey, calme-toi ! Ton pessimisme me fait froid dans le dos. Je te rappelle qu'il te reste encore cinq belles années avant de parvenir au cap symbolique de la quarantaine.

— Cinq années... Elles passeront vite. Les suivantes aussi.

Le visage de Samy s'assombrit. Il s'inquiétait. S'il s'était habitué au caractère taciturne de Noam, il s'étonnait de le voir peu à peu perdre pied et tenir des propos toujours plus excessifs. Pour lui, le cœur du problème restait la solitude dans laquelle Noam s'engluait progressivement. Il s'en était ouvert à son épouse, lui avait demandé de chercher autour d'elle une fille à lui présenter.

— Il faut que tu rencontres quelqu'un, Noam. Tu ne peux pas continuer à vivre seul. Il y a des centaines de filles qui rêveraient de faire leur vie avec un type comme toi.

— Je connais le refrain, trancha Noam.

— Tu passes ton temps à travailler. Au début, j'ai cru que tu y trouvais un moyen de t'épanouir, mais, j'ai ensuite saisi que cet investissement professionnel te permet juste de t'oublier.

— M'oublier ? Pourquoi essayerais-je de m'oublier ?

— Pour ne surtout pas t'investir dans des relations qui t'obligeraient à te montrer responsable.

Noam fit pivoter son fauteuil. Derrière la baie vitrée, les immeubles de bureaux commençaient à s'animer. Il pouvait apercevoir les silhouettes des petits soldats se mettant en marche, pleins d'espoir de promotion ou, peut-être, comme lui, sans réelle illusion sur leur utilité.

— Je n'y arrive pas, Samy.

— Normal ! Il t'arrive de ne voir personne pendant des semaines. Puis, tout à coup, quand tu te décides à prendre l'air, c'est pour traîner dans les bars, te satisfaire de rencontres faciles, sans lendemain. C'est pas dans ce genre d'endroits que tu trouveras une femme avec laquelle faire ta vie.

— J'ai essayé, Samy. J'ai connu quelques histoires sérieuses.

— Ah bon ? Qui ont duré combien de temps ? Une semaine ? Deux ? Un mois ? Te souviens-tu seulement des prénoms de celles à qui tu as daigné accorder une chance de t'aimer ? Dès qu'une fille s'attache à toi, tu te dépêches de la virer !

Noam pensa à la jeune femme croisée dans le pub, la veille.

— Arrête, soupira-t-il, j'ai déjà eu droit à un sermon hier.

— Qui ?

— Élisa.

— Élisa ? Voilà un excellent exemple de femme responsable ! Tu devrais t'inspirer de son courage, de sa volonté. Elle s'est fait larguer, s'est retrouvée plantée financièrement mais elle s'est battue, a trouvé un nouveau boulot pour avoir les moyens d'offrir un avenir à sa fille. Elle a de vrais problèmes, elle, et, pourtant, elle affiche un optimisme à toute épreuve !

— Ma sœur est exceptionnelle.

Noam soupira. Il fit basculer son fauteuil et contempla le plafond. Samy chercha à pousser plus loin son avantage.

— Ce que nous prenions tous pour une approche mélancolique de la vie, qui collait si bien à ton tempérament de Don Juan désabusé, se révèle aujourd'hui être un désenchantement profond. Pire même… une dépression.

— Une dépression… répéta Noam, pensif.

— Oui, Noam. Il n'est pas normal, à ton âge, d'être obsédé par la mort, de subir de telles crises d'angoisse, de se laisser aller ainsi.

— Si pour toi être hypocondriaque et sujet à des crises d'angoisse relèvent d'une dépression, alors j'ai toujours été dépressif, maugréa Noam.

— Qu'en pense Élisa ?

— Tu crois vraiment que je partage ces tracas avec elle ? Comme tu l'as dit, ce ne sont pas de vrais problèmes comparés aux siens. Tu es le seul à qui je me confie vraiment.

— À une époque, j'aurais été touché de me voir élevé au rang d'unique confident mais, aujourd'hui, je trouve ça inquiétant. Et tu sais pourquoi ? Parce qu'en dehors d'Élisa, de ta nièce et de moi, tu ne t'attaches à personne. Et même, me concernant, quel genre d'ami ou de confident suis-je puisque tu ne daignes jamais écouter mes conseils.

— Tu ne me délivres pas de conseil, Samy, tu me fais la morale.

— Alors, je vais te donner un conseil et j'espère que, cette fois, tu le suivras : va consulter un médecin.

Noam afficha une moue dubitative.

— Je connais un psy capable de t'aider, poursuivit Samy. Je peux t'obtenir un rendez-vous pour cette semaine si tu le souhaites.

Un psy. Noam repensa au docteur Laurens, aux séances de jeux dans son cabinet, à leurs discussions.

Samy avait raison. Il devait agir.

La vérité

Voilà, c'est fini.

Chaque jour, la vie me quitte un peu plus.

Les médecins ont beau tenter de me rassurer, je sens qu'il reste seulement quelques jours à patienter avant de crever. Putain de destin. Ma sœur m'a expliqué que la vie peut se résumer à l'incertitude et aux espoirs des jours à venir. Elle ne serait, en quelque sorte, qu'une promesse. Comme une course de chevaux : tu viens avec du fric en poche, des illusions en tête, tu es certain d'avoir tout compris, de posséder les connaissances suffisantes, le bon tuyau, tu te sens fort et fébrile à la fois, tu paries puis le départ est donné. Mais l'existence ne correspond qu'aux quelques minutes durant lesquelles les chevaux galopent. Parfois, dès le départ, on comprend qu'on a perdu. D'autres fois, on y croit, on s'agite, on gueule. Au final, à l'arrivée, que l'on ait gagné ou non, on réalise que, de toute façon, l'excitation était ridicule. Alors, il faut attendre la prochaine course. Mais, ici-bas, il n'y a jamais de prochaine course.

J'ai passé des années sur les champs de courses. Que peut valoir la vie d'un homme qui confie ses espoirs aux forces du hasard ?

Je vais mourir le premier, franchir la ligne d'arrivée en tête. Ce dont quiconque ne peut réellement se réjouir. Triste victoire que celle dont personne ne profite.

Depuis que je sais l'importance de mon mal, mes yeux n'ont aucun horizon où se poser. Donc pas d'autre choix que de regarder en arrière. Mais, derrière, il y a la mort aussi. Et cette vérité que je connais et qu'il faut transmettre. Je l'ai traîné derrière moi pendant des années, ce secret. J'étais comme un bagnard qui tente d'oublier le boulet lui écorchant les chevilles, l'empêchant de s'élancer. Je pensais partir avec. La terre aurait définitivement étouffé les mots que je n'ai jamais su dire.

Mais ce que m'a confié ma sœur me l'interdit. Elle devine que je vais partir et quémande cette vérité sans laquelle ni elle ni Noam ne sauraient vivre.

Ce secret, je l'ai gardé enfoui durant des années. Je me suis persuadé que personne n'en avait réellement besoin. Le mal avait été fait, les autres avaient poursuivi leur course. Tout semblait aller pour le mieux dans le pire des mondes. Pourtant, je suis certain qu'il m'a rongé lentement l'esprit et le corps ; qu'il a pris la forme de cette maladie pour me faire payer mes erreurs. Alors, pour sûr, il est trop tard pour moi, mais pas pour elle, ni pour Noam.

Nous sommes liés par cette vérité, elle, ce garçon et moi. Moi, parce que je la connais, eux, parce qu'ils l'ignorent et, peut-être, la devinent.

Liés par le secret d'une mort.

Comme un sort maudit dont je suis la première victime. Alors, si ma vie n'a servi à rien, ma mort pourrait-elle leur devenir utile si elle leur permettait enfin d'être vivants ?

Chapitre 3

Avant de poser le doigt sur la sonnette, Noam respira profondément. Comme d'habitude, il était en retard et avait grimpé les marches au pas de course. Or, Élisa ne transigeait pas sur l'heure à laquelle sa fille devait se coucher.

Quand il fit retentir le carillon, il entendit les petits pas d'Anna marteler le couloir puis des rires, des chuchotements. Il imagina sa petite nièce, comme à chaque fois, excitée, hésitante, cherchant une cachette pour surprendre son oncle et ensuite se réfugiant dans le placard de l'entrée. Un immense élan de tendresse le gagna.

Élisa ouvrit la porte.

— Bonjour, dit-elle d'une voix trop forte pour être naturelle. Oh, Noam, quelle surprise !

Sa voix enjouée contrastait avec l'expression sévère de son visage.

Elle indiqua le cadran de sa montre du doigt puis, d'un mouvement de tête, la porte du placard.

— Hello ! répondit Noam avant de se pencher pour embrasser sa sœur.

— Vingt heures trente ; de mieux en mieux, lui chuchota-t-elle.

Ils commencèrent alors à jouer leur sempiternelle scène avec emphase. Les répliques changeaient peu. Le petit public de trois ans les connaissait par cœur et les attendait avec excitation.

— Où est Anna ? s'enquit Noam.

— Elle dort, répondit Élisa, reprenant sa tonalité théâtrale. Tu es arrivé trop tard, elle n'a pas pu attendre.

— Mais quel dommage, maugréa-t-il. Bon, et bien tant pis, je vais repartir. Je reviendrai un autre jour.

— Suis là ! cria alors Anna en bondissant hors de sa cachette dans un superbe éclat de rire.

— Mon Dieu ! Tu m'as fait peur ! Espèce de farceuse, attends que je t'attrape !

La fillette s'enfuit alors vers la chambre de sa maman, tricotant des pas incertains avec ses petites jambes dodues.

— Bon, je vous laisse à vos jeux, déclama Élisa en se dirigeant vers la cuisine.

Arrivée dans la pièce, Anna se jeta sur le lit et rampa jusqu'à l'oreiller pour tenter d'échapper à son oncle. Mais celui-ci la saisit par la taille et l'éleva dans les airs.

— Je t'ai attrapée ! cria-t-il. Je vais t'apprendre à faire des farces à ton oncle.

Il la chatouilla et les rires d'Anna devinrent frénétiques Puis, il la serra contre lui, cherchant à la calmer.

— Je t'aime, mon cœur, dit-il en embrassant son front moite.

— Moi aussi, t'aime, répondit l'enfant en calant sa tête dans l'épaule de son oncle.

Noam s'abandonna à la douceur de l'instant, ferma les yeux, respira l'odeur chaude de sa nièce.

Soudain, la fillette se redressa.

— Noam ?

— Oui, mon amour ? dit-il en posant les yeux sur le visage de l'enfant.

L'expression qu'il y découvrit le surprit. Anna semblait étrangement sérieuse et grave. Ses yeux, animés d'une curieuse flamme, paraissaient fouiller en lui.

— Qu'as-tu Anna ? demanda-t-il, inquiet.

Elle tendit sa main vers lui, la posa sur sa joue et dit en un seul souffle et d'une voix neutre :

— Tu vas mourir du cœur le même jour que cinq personnes.

Noam resta un moment circonspect.

— Pardon ? Qu'est-ce que tu as dit ? bredouilla-t-il.

— Rien, répondit l'enfant en reprenant une attitude normale.

— Tu viens de... Je vais... quoi ?

Anna ignora la question et descendit du lit.

Noam demeura figé, laissant à sa conscience le temps d'appréhender la scène.

— Anna, s'il te plaît, répète ce que tu viens de dire, insista Noam en saisissant son poignet.

La petite fille, troublée par l'attitude soudain sérieuse de son oncle, se renfrogna.

— A rien dit moi ! protesta-t-elle en faisant la moue.

— Si, tu as dit : « Tu vas mourir du cœur », n'est-ce pas ?

— Non, a pas dit ça, geignit-elle en se tortillant pour échapper à la trop forte poigne de son oncle.

Interloqué, Noam lâcha le bras d'Anna et la laissa s'éloigner.

*
* *

Avait-elle réellement prononcé cette incroyable sentence ? De tels mots étaient improbables dans la bouche d'une enfant de trois ans. De plus, elle avait parfaitement articulé la phrase, sans escamoter les syllabes, d'une voix grave et à un rythme particulièrement lent, et rien de tout cela n'était cohérent.

Noam refit défiler les secondes qui venaient de s'écouler. Non, à coup sûr, il avait mal compris. Ou, peut-être s'était-il assoupi un instant et avait-il rêvé cet échange ?

Impossible ! Parfaitement éveillé, il avait bien vécu cette scène surnaturelle.

« Tu vas mourir du cœur le même jour que cinq personnes. »

« Le même jour » n'appartenait en rien au langage d'Anna. Le temps n'avait pas encore de signification pour elle. Tout à l'heure, aujourd'hui, demain, hier… elle confondait ces expressions et leur usage, à tort et à travers, provoquant souvent les rires. Alors, « le même jour »…

Et « tu vas mourir » ? Que savait une enfant de cet âge de la mort ?

*
* *

78

— Qu'as-tu ? s'inquiéta Élisa, quand il entra dans la cuisine. Tu as l'air d'avoir croisé un fantôme.

— C'est Anna. Elle a dit quelque chose... d'étrange.

— D'étrange ?

— Oui. Des mots étonnants dans la bouche d'une enfant.

— Ah ? s'étonna sa sœur. Des gros mots ?

— Non. Une phrase trop compliquée pour une fillette de trois ans.

— Oh ! Une réplique d'un dessin animé sans doute ! Elle a une excellente mémoire et me sort parfois des phrases toutes faites... Qu'a-t-elle dit au juste ?

Noam ne répondit pas.

— Je doute qu'il s'agisse du dialogue d'un dessin animé, reprit-il. Mais ça pourrait être celui d'un manga ou d'un film.

— Tu sais bien que je la laisse seulement regarder les dessins animés pour petits. Mais bon, la baby-sitter est un peu laxiste en ce moment. Il est possible qu'elle ait vu des trucs plus durs. Mais qu'a-t-elle dit, enfin ?

Noam hésita à rapporter les paroles d'Anna. À quoi cela servirait-il ? Élisa mettrait ça sur le compte des idées morbides de son frère, de « ses bizarreries ». Il préféra changer de conversation.

— Laisse tomber. En fait, je n'ai pas bien compris, argua-t-il trop précipitamment.

— Que se passe-t-il, Noam ? Tu parais si tendu !

— Je suis fatigué, c'est tout. Et toi, comment tu t'en sors en ce moment ? interrogea-t-il, pour détourner la conversation.

— Ça va. J'ai énormément de boulot et je fais des heures supplémentaires. Du coup, je cours beaucoup. J'ai changé de baby-sitter. Anna aime bien la nouvelle. Moi, je la trouve un peu trop jeune.

— Et financièrement ?

— Je m'en sors. Luc verse la pension.

— Il faudrait que tu rencontres quelqu'un.

— Ah ! non, ne me pique pas mes répliques ! Si une personne devait envisager sérieusement sa vie amoureuse, ici, c'est toi ! Au fait... toujours rien ?

— Non. Enfin, rien de sérieux.

Élisa haussa les épaules.

— Tu restes dormir ? demanda-t-elle.

Il acquiesça, silencieux. Dans sa tête, les mots d'Anna défiaient sa raison.

*
* *

Le réveil affichait trois heures. Un bras derrière la nuque, les yeux posés sur le mur devant lui, Noam repensait aux paroles d'Anna. Il tentait de donner une signification à l'insolite scène, élaborait des hypothèses, les évaluait, les rejetait. S'agissait-il d'une hallucination auditive due au stress ou à son état dépressif ? Ou, autre éventualité, plus hasardeuse, une télépathie affective avait permis à sa nièce « d'entendre » son angoisse et de l'exprimer. Il avait autrefois lu un article sur cette communication mentale permettant à des êtres proches, des frères et sœurs, des parents, des amoureux, de percevoir les pensées de l'autre et de les exprimer. Seul problème : il n'avait pas pensé à sa mort quand il jouait avec sa nièce. Et, s'il s'agissait de cela, pourquoi Anna aurait-elle évoqué cinq autres personnes ?

Un malaise jaillit des profondeurs de son cœur et menaça de le déséquilibrer. Il respira profondément pour éteindre ce feu mais rien n'y fit.

Il eut envie d'une cigarette et se leva. Dans la cuisine, il en alluma une, assis près de la fenêtre et l'angoisse le quitta un instant.

À l'extérieur, la nuit paraissait avoir érigé un mur sombre et menaçant autour de l'immeuble. L'obscurité étant, pour lui, liée à la mort, il ressentit une légère satisfaction à se trouver dans cette cuisine baignée de lumière, bercée par le ronronnement rassurant du réfrigérateur.

Dans quelques heures, le jour se lèverait et il repartirait au travail. Il redeviendrait alors ce cadre commercial de haut vol, capable de résoudre tous les problèmes de ses clients. Il s'abîmerait dans le travail, les réunions et ces innombrables appels téléphoniques, oublierait ses tourments existentiels.

Il aurait bientôt trente-six ans. Dans le meilleur des cas, il lui restait à vivre autant d'années. Mais si la première partie de sa vie avait vu sa force s'épanouir, la seconde lui promettait plutôt des jours sombres. Quand et de quoi mourrait-il ? Voici la question la plus terrible qu'il avait à envisager. Une longue maladie ? Un AVC ? Souffrirait-il ? Deviendrait-il dépendant ? Et, au moment ultime, que penserait-il de son parcours ? La même chose qu'en ce jour ? Une existence vide de sens.

— Tu ne dors pas ?

La voix d'Élisa le fit sursauter.

Elle se tenait sur le pas de la porte, les bras croisés, les paupières lourdes.

— Je t'ai réveillée ? demanda Noam.

— J'ai le sommeil léger en ce moment.

— Désolé.

Elle s'installa près de son frère.

— Tu souffres toujours d'insomnies ?

— Ça dépend. Il m'arrive de passer de bonnes nuits, mentit-il.

Elle posa sa tête sur l'épaule de Noam.

— Tu te souviens des serments que nous nous faisions lorsque tu venais te réfugier dans mon lit ?

— Les serments, c'était plutôt ton truc, répliqua Noam, dans un faible sourire.

— C'est vrai, reconnut sa sœur. Je te faisais jurer que nous ne nous quitterions jamais, que nous deviendrions riches, que nous ferions le tour du monde, que nous récompenserions Mamie et Papi d'avoir pris soin de nous, que nous ouvririons une maison pour les sans-abri... Il faut croire que j'avais besoin de rêver.

— Oui. Nous étions des enfants, murmura Noam. Des enfants en quête d'idéal.

— Mais un serment revenait souvent : nous construirions des familles unies. Ce que nous avions vécu nous avait donné une certaine maturité, un regard sur l'existence que n'avaient pas les enfants de notre âge. Je t'avais même promis que jamais je n'épouserais un homme sans ton accord. J'avais exigé la même chose en retour.

— Mais quand tu as rencontré Luc, tu ne m'as pas demandé mon avis.

— Non, j'ai tout de suite vu que tu ne l'aimais pas. Et puis, je savais qu'il n'était pas l'homme de ma vie. Ayant perdu l'illusion de rencontrer le prince charmant, je vieillissais et voulais juste avoir un enfant. Il me l'a donné et je lui en suis reconnaissante.

— Tu savais donc, dès le début, que votre couple foirerait ?

— Je le pressentais. Mais il était gentil, rassurant, et j'espérais qu'avec le temps...

Ils restèrent un moment silencieux, fouillant les images, scrutant les sons et humant les odeurs du passé.

— Tu te souviens de la maison que nous imaginions ? demanda Élisa. Elle devait être assez grande pour abriter nos deux familles, mais posséder deux entrées indépendantes pour garantir un peu d'intimité. Le jardin était commun, afin que nos enfants puissent y jouer ensemble.

— Élisa... ces... idées étaient les tiennes. Je ne faisais qu'écouter et tenter d'imaginer.

— Ah ? s'étonna-t-elle. Dans mes souvenirs, tu termines mes phrases, surenchéris, enjolives mes projets.

— Dans les miens, tu parles seule et je suis heureux de t'entendre dire qu'il y a une place pour moi dans cet avenir.

Élisa saisit la main de son frère, la serra. Noam observa son visage. La lumière crue de la cuisine lui révéla de nouvelles rides autour des yeux de sa sœur et, comme à chaque fois que cela arrivait, il sentit sa gorge se serrer.

— Les vacances vont nous faire du bien, Noam. Je suis si heureuse que nous partions ensemble.

— Je les attends avec autant d'impatience. Je vais pouvoir profiter de toi, d'Anna et me détendre un peu.

— Cette maison au bord de la mer... C'est presque un serment tenu, non ?

Chapitre 4

— Vous pouvez vous rhabiller, votre cœur fonctionne parfaitement bien, annonça le cardiologue en s'asseyant derrière son bureau.

Soulagé, Noam remit sa chemise.

— Ce qui veut dire qu'il n'est pas possible que je fasse d'arrêt cardiaque dans les prochains mois, n'est-ce pas ?

Le médecin releva la tête et posa un regard circonspect sur son patient.

— Pourquoi cette question ? Vous nourrissez quelques craintes à ce sujet ?

— Eh bien... non. C'est juste... qu'une de mes connaissances est décédée subitement de cette manière, mentit-il. Alors, je me disais...

— Vous êtes encore jeune et n'avez aucun antécédent familial. Les probabilités qu'il vous lâche sont donc très faibles. Cependant, aucun confrère ne vous certifiera que vous êtes à l'abri d'un arrêt cardiaque. Un cœur peut s'arrêter pour de multiples raisons et certaines d'entre elles ne se décèlent pas.

— Je peux donc m'effondrer en sortant de votre cabinet, plaisanta Noam.

— En effet, répondit le médecin, sérieux. Votre démarche de prévention est louable mais ne représente assurément pas une garantie.

Le praticien se plaça devant son ordinateur, tapa quelques informations et fit payer sa consultation.

Au moment de le quitter, sur le pas de la porte, il ajouta :

— Parfois, les hommes, à l'approche de la quarantaine, commencent à se sentir vieillir. Et ce sentiment les conduit à déprimer, à envisager la possibilité de leur mort. Je ne sais pas si c'est votre cas, mais vous me paraissez stressé, inquiet. Ne laissez pas des sentiments pernicieux envahir votre quotidien. Et, avant que l'idée de votre mort ne devienne obsessionnelle, consultez un spécialiste. Un psychologue ou un psychiatre.

Noam hocha la tête. Dans son cas, l'obsession était avérée depuis longtemps.

Les paroles d'Anna m'ont tout d'abord perturbé. Puis j'ai rapidement décidé qu'elles constituaient une bizarrerie à classer dans la catégorie des épiphénomènes méritant d'être oubliés. J'ai cru y être parvenu mais je dois le reconnaître, elles ne m'ont pas quitté. Sournoisement, elles ont continué à me corroder. Gagnée par une urgence, mon anxiété s'est amplifiée. L'urgence d'une mort annoncée, peut-être imminente.

Bien entendu, de tels mots dans la bouche d'une enfant n'ont aucun sens ! Et la peur que je ressens désormais non plus !

Mais les propos d'Anna font vibrer une ancienne frayeur, une crainte profondément ancrée dans ma conscience. Et la peur se moque du sens.

Mon obsession de la mort a resurgi, nue, violente car désormais définie.

La mort. Pour la plupart des êtres humains, elle n'est qu'un concept, une idée, un horizon si lointain qu'ils ne peuvent, au mieux, qu'en distinguer les funestes contours. Ils la rencontrent quand un des leurs les quitte. Dans l'ordre des choses, les grands-parents, puis les parents.

Pour d'autres, elle survient très tôt, bouscule la préséance, renverse les logiques. Elle met fin à l'indolence qui permet d'apprécier la vie jusque dans sa superficialité. Elle marque le début d'un autre parcours et s'y arroge le rôle d'accompagnatrice, de guide, voire de gouvernante.

Dans mon cas, elle s'est présentée à un âge auquel ni la vie ni la mort n'avaient de signification. En un instant : une voiture, des cris, une agitation et la peur. Des faits et sentiments que je n'avais pas, enfant, la possibilité de réduire à un seul mot. Il n'existait alors pas de mort. Juste une scène incompréhensible et la frayeur qui en découlait.

Dans les jours qui suivirent l'accident, j'ai pris conscience qu'un bouleversement radical et irréversible venait de modifier mon parcours. C'était comme si un astre était venu éclipser le soleil, provoquant une gigantesque et puissante lame composée d'ombres dont la force m'aurait soulevé et porté vers une autre planète, régie par des lois impossibles à comprendre. Puis la vague a reflué, je suis revenu sur terre mais les fantômes sont restés. Et il y a eu l'absence. Mais, dans cette absence, subsistait encore de l'espoir.

Durant quelque temps, je me suis convaincu que ma mère se trouvait toujours à mes côtés, invisible pour les autres, comme dans le conte qu'elle m'avait lu, où une fée prenait soin d'un orphelin, seul capable de la voir. Il suffisait de me concentrer pour l'apercevoir. Elle m'accompagnait à l'école, me prodiguait des conseils, m'adressait des mots tendres. Mais le temps a fini par estomper sa voix, gommer son ombre. J'avais beau me concentrer, l'appeler, elle ne réapparaissait plus.

La mort est, alors, devenue une réalité. Un mot mystérieux aux pouvoirs suprêmes. Une idée forte, un concept fondateur dont je tentais de définir les limites, la densité, la puissance. Un peu comme on essaie d'envisager un obstacle sur sa route en l'observant de loin, puis en s'en approchant, en le touchant avant d'en faire le tour.

J'ai compris que la mort pouvait se résumer à un fait d'une banalité décevante et cruelle : un corps allongé parmi d'autres dans un cimetière froid.

Alors, l'image m'a hanté. Elle partait à l'assaut de ma conscience avec la volonté de la meurtrir et je luttais, la repoussais avec autant de fougue que de désespoir. Mais elle revenait sans cesse, toujours plus précise et éprouvante. La terre, l'obscurité, l'humidité, les vers et le corps de ma mère. Des os, des restes de chair, de la poussière.

Dans mes mauvais rêves, je me penchais au bord de la tombe ouverte de maman, curieux de l'apercevoir. Puis je glissais vers elle et me retrouvais à ses côtés. La terre dévalait sur moi, une terre froide et gorgée d'eau qui m'écrasait. J'étouffais, me débattais, suppliais ma mère de m'aider.

Cauchemars éveillés ou jaillissant en pleine conscience ? Je ne le savais pas tant les frontières entre le sommeil et la réalité, certaines nuits, se révélaient incertaines.

Pour tenter de conjurer cette obsession, j'avais un jour consulté un site internet consacré à la mort. Convaincu que l'imagination ressemblait à un marécage menaçant de m'engloutir et que prendre pied dans la réalité m'aiderait à détruire mes fantasmes, j'avais tout lu sur la décomposition des corps : les flux, les gaz, la décomposition, les vers, la pourriture. J'avais également vu des images de dépouilles d'animaux à différents stades de dégradation. La réalité était pire que ce que mes divagations m'avaient suggéré.

Le corps de ma mère s'endommageait à jamais sous la terre... comme dans mon esprit.

Et c'était de ma faute.

Est-ce pour cela que l'idée de la mort m'obsède ?

Une idée concrète, presque palpable. Mais, jusqu'alors, je ne l'entrevoyais que dans un futur imprécis. Durant mes crises d'angoisse, elle venait juste m'effleurer, me rappeler sa présence. Puis, le jour venait, l'activité, le mouvement, les secondes qui succèdent aux secondes et forment des heures, les journées noyées dans l'action avec une régularité qui paraissait pouvoir être éternelle.

Voici pourquoi les mots d'Anna m'ont bouleversé. Parce qu'ils ont rendu réelle ma peur la plus forte, parce qu'ils ont donné une forme, une proximité à celle-ci.

Que ces confidences sont lugubres ! Aussi sombres et stupides que mon existence.

— Monsieur Duchaussoy vous attend, annonça l'assistante en invitant Noam à la suivre.

Il pénétra dans la vaste pièce et vit le patron assis à son bureau. L'entretien pouvait donc être polémique. Tous les salariés avaient appris à décoder les manies de leur dirigeant. Quand celui-ci les attendait autour de sa table de réunion, c'était pour travailler. Quand il les conviait dans son petit salon, c'était pour créer une ambiance cordiale et obtenir quelque chose d'eux. Mais il restait derrière son bureau quand la discussion pouvait tourner au rapport de force.

— Ah, Noam, entrez donc et asseyez-vous, dit-il en désignant le fauteuil qui lui faisait face.

Noam lui serra la main et obtempéra.

— Je n'ai pas beaucoup de temps, malheureusement. Aussi vais-je tout de suite entrer dans le vif du sujet.

Il marqua une pause, s'avança, posa ses coudes sur le bureau et planta son regard dans les yeux de son employé.

— J'ai toujours apprécié votre capacité à vous investir. Quand vous êtes entré dans cette entreprise, vous aviez la fougue que j'attends d'un collaborateur ambitieux. Vos résultats étaient excellents. Bien entendu, votre caractère sombre, votre réserve, votre discrétion n'ont pas facilité votre intégration. Peu m'en importait, vous atteigniez vos objectifs, les dépassiez souvent. Sans doute même ce tempérament fait-il votre force. Avec monsieur Dubois, le seul collaborateur avec lequel vous avez réussi à tisser des relations d'amitié, vous avez formé une équipe de choc. Votre austérité et son amabilité permettent d'obtenir de bons accords commerciaux. Vous êtes implacable, il arrondit les angles.

Ainsi, voilà l'idée que le patron se faisait du tandem formé avec Samy. Noam n'avait pourtant pas l'impression que les rôles étaient aussi bien définis. Ils se complétaient, certes, mais Samy, sous des abords affables, se révélait sûrement plus redoutable que lui.

— La crise que nous traversons est terrible, continua Duchaussoy. Elle nous malmène. Mais l'avantage d'une crise est de révéler les vrais talents. Quand le marché est porteur, il est assez facile d'être efficace, n'est-ce pas ? Les choses deviennent différentes lorsque l'environnement économique impose d'être plus agressif commercialement, plus présent auprès des clients, plus exigeant avec les fournisseurs. Or, je vous sens en retrait ces derniers temps. Vous vous investissez moins.

Noam analysait la manière dont son patron jouait avec les mots, les postures, les mimiques. Il savait l'homme brutal, manipulateur. Son menton volontaire paraissait toujours défier ses interlocuteurs et son regard perçant, où se manifestait une intelligence vive, imposait du respect, de la crainte même. La plupart de ses collaborateurs l'admiraient et le redoutaient. Peut-être même l'admiraient-ils pour moins le redouter. Noam ne parvenait pas, lui, à manifester ce type d'intérêt. Il n'éprouvait aucune fascination pour le pouvoir ; la vivacité d'esprit le laissait de marbre quand elle était exclusivement mue par l'avidité ; et l'autoritarisme ne l'impressionnait en rien. Tout au plus, parvenait-il à s'intéresser à l'homme à travers sa singularité, sa manière d'user et d'abuser de sa puissance. Il tentait parfois d'imaginer sa vie au-delà de ces murs. Comment se comportait-il avec sa femme ? Était-il affectueux avec ses enfants ou les manageait-il comme ses employés ? Avait-il une maîtresse dans les bras de laquelle il s'abandonnait et redevenait aussi stupide et fragile que les autres hommes quand le sexe prend le contrôle de leur esprit ?

— Votre caractère irrite de plus en plus les clients, ajouta Duchaussoy afin de susciter une réaction.

— C'est mon caractère, je n'y peux rien.

— Oui, mais ce sont mes clients et moi je peux quelque chose, rétorqua le patron, une once de menace dans la voix.

— La crise rend les hommes plus susceptibles et nerveux, argua Noam.

— C'est vrai. Mais laissons les autres la considérer comme une menace et envisageons-la comme une opportunité, Noam ! l'interrompit Duchaussoy. Elle nous permet de négocier des prix que nous n'aurions jamais réussi à obtenir en temps normal. Nos fournisseurs sont aux abois. Certains sont même prêts à travailler à prix coûtant, juste pour payer leurs frais, les salaires de leurs employés. Il s'agit d'une chance pour nous. Car les tarifs que nous obtiendrons aujourd'hui, nous les maintiendrons quand l'économie repartira. Et nos marges seront autrement plus confortables qu'actuellement.

Noam eut soudain envie de se lever, de dire le dégoût que lui inspirait cette vision des choses, mais il resta figé. La diatribe ne le concernait pas... ou si peu. Il travaillait comme un automate, appliquant les méthodes de négociation comme d'autres déploient des procédures, sans imagination ni désir.

— Mes actionnaires me réclament des résultats, Noam. Ils veulent que je maintienne la rentabilité de l'entreprise au niveau auquel j'ai su la mener. Je vais donc être contraint de me séparer de quelques collaborateurs et de conserver seulement les meilleurs. Je suis persuadé que vous faites partie de ceux-là, Noam. Aussi vais-je vous donner une chance de me le prouver.

Le patron saisit une pochette, l'ouvrit.

— Je vais vous confier ce dossier, Noam. Il s'agit d'une affaire importante. La société Baram nous passe une grosse commande. Nous devons la boucler pour septembre. Autant dire que si vous aviez prévu des vacances cet été, il va falloir les repousser.

Noam sentit son cœur s'emballer. Ses vacances, cette maison au bord de l'eau, dans le sud de la Corse, avec les personnes qu'il aime le plus au monde, leurs premières vacances en famille, représentaient la seule lueur de bonheur que lui offrait le futur proche. Mais il demeura silencieux, saisit les documents, jeta un coup d'œil sur les spécifications des produits, les volumes d'achat, les dates de livraison.

— Mais... les objectifs que vous fixez sont...

— Atteignables, le coupa Duchaussoy. Un collaborateur tel que vous peut les atteindre.

Noam voulut rétorquer qu'au contraire il ne s'en sentait pas capable et refusait la mission mais, sans qu'il sache pourquoi, il ne répondit pas, rangea les papiers et se leva sous le regard satisfait de son patron.

— Étonnez-moi, Noam, conclut ce dernier, sardonique. Je nourris de beaux espoirs concernant votre avenir dans notre société.

— Je vous remercie.

Pourquoi l'avoir remercié avant de se lever ? L'humiliation n'était-elle pas suffisante ? D'un coup, il se sentit faible, petit, lâche. Assez lâche pour redouter maintenant d'annoncer la nouvelle à Élisa.

*
* *

Samy et Noam sortirent du restaurant et se dirigèrent vers leur bureau. Le doux soleil du printemps les invita à ralentir le pas, à profiter des derniers instants de détente avant d'affronter la somme de travail qui les attendait.

— Arrête de faire la gueule, s'exclama Samy. Considère ce challenge comme une marque de confiance.

— Ne raconte pas de conneries ! Tu connais le boss. Il ne manifeste de l'intérêt que pour les courbes de croissance de la boîte.

— Je vais t'aider à travailler sur ce dossier. Avec beaucoup d'efforts et un peu de chance, tu pourras le terminer en août et rejoindre ta sœur quelques jours.

— Tu es gentil. Mais je doute que cela suffise. J'aurai dû refuser. J'ai accepté sans broncher. Le mec nul. Ma vie est nulle, Samy.

— Parce que ton patron t'impose de travailler durant les vacances ?

— Non, parce que j'accepte de faire des choses contraires à mes principes, que je ne sais jamais dire non.

— Si tu en es conscient, libre à toi de donner du sens à ta vie. Commence par arrêter de sortir, boire, et faire n'importe quoi !

— Ce que tu prends pour la cause de mon état en est seulement la conséquence.

— Non, c'est un cercle vicieux. Les causes deviennent conséquences et vice versa. Jusqu'à maintenant, il n'y avait qu'au boulot que tu paraissais trouver un équilibre. Or, depuis quelque temps, tu n'es plus le même. Excuse-moi de te le dire mais le boss a raison : tu deviens de moins en moins efficace.

— Je le sais. Et je sais aussi que tu compenses sans jamais te plaindre.

Noam posa la main sur l'épaule de son ami et l'attira contre lui.

— Arrête ça tout de suite ! s'écria ce dernier en exagérant sa réprimande et en se dégageant de l'étreinte. Je suis connu comme hétéro dans le quartier !

Un attroupement attira leur attention. Samy s'en détourna mais Noam, cédant à sa curiosité, s'approcha.

Un vieil homme à longue barbe grise, portant une tunique blanche et des sandalettes, tel un apôtre, s'adressait aux badauds en langage des signes. Son visage restait impassible tandis que ses mains s'agitaient. Près de lui, un garçon plus jeune, peut-être son fils ou une sorte de disciple, traduisait son discours d'une voix morne et plate qui lui conférait des consonances étranges, presque inquiétantes.

« Chacun possède un monde intérieur d'une richesse insoupçonnée fait d'espoirs, de souvenirs, de douleurs et de sentiments puissants, expliquait-il. On peut se résoudre à l'ignorer et il est alors pareil à une étendue d'eaux dormantes. On peut aussi s'y plonger de temps en temps et prendre le risque de s'y noyer. Mais il est également possible d'en extraire des bienfaits magnifiques si tant est que l'on en possède l'envie et les moyens. De l'imagination pour explorer ses sensations et des mots pour former les plus belles idées. »

Le propos troubla Noam. Oui, tourbillonnaient des eaux tumultueuses en lui. Oui, elles l'empêchaient de trouver le sommeil et faisaient tanguer son esprit jusqu'au malaise.

— Allez, viens, proposa Samy. Des dingues.

Mais Noam resta figé, les yeux posés sur le prédicateur, les oreilles à l'affût de son interprète.

« La connaissance est un leurre. Nous donnons des noms aux choses que nos yeux perçoivent. Nous les analysons, nous les classons et croyons, ainsi, les maîtriser. Le sens de la vie est alors à trouver dans cette bibliothèque de connaissances archivées. Mais nous ne faisons que tenter de limiter l'espace en lui donnant des allures de panorama étoilé vers lequel nous oserons enfin lever les yeux. Nous tentons de nier l'insignifiance de nos vies en regard de l'éternité et de l'infini. Nous essayons d'oublier qu'il s'agit de croyances et non de certitudes. Car, de certitudes, nous n'en avons qu'une seule.

« Et celle-là possède la luminosité du plus puissant des astres. Une luminosité telle qu'elle pourrait éclairer nos existences. Mais il nous est impossible de la regarder en face. Nous baissons les yeux et ne voyons que l'ombre de nous-mêmes.

« Pourtant, elle est notre seule certitude ! Elle naît avec chaque vie, au moment où nous prenons notre première respiration. Et c'est pour cela que celle-ci se transforme en cri. Le cri que pousse le bébé qui vient de naître est un cri de désespoir. Désespoir de la connaître, désormais, et de commencer à la nier.

« Quelle est cette unique certitude ?

« Vous la connaissez mais l'avez oubliée : nous allons mourir.

« La date de notre mort est déjà fixée.

« Elle nous attend là-bas, dans l'éclat incandescent du soleil.

« Nous avançons vers elle, les yeux baissés, parfois en suivant notre ombre, parfois en la devançant.

« Ce chemin, nous l'appelons la vie.

« Nous avons beau nous arrêter, admirer le paysage, danser, rire, boire et manger, rencontrer d'autres marcheurs, les aimer... la date de notre mort nous attend.

« Nous avançons vers elle. »

Le vieil homme cessa de s'agiter un instant et considéra la foule. Noam, comme hypnotisé, crut un instant que le prédicateur allait en rester là, les laisser sur ces paroles énigmatiques.

— Il n'y a qu'à Paris que l'on peut voir ça, ironisa Samy. Un gourou muet ! Allez, viens, le boulot nous attend.

Il lui saisit le bras pour le détourner de la scène.

— Attends... Il s'adresse à moi.

En effet, le vieil homme avait posé ses yeux sur Noam.

— Normal, t'as vu ta tête ? Tu as les yeux exorbités. Ce fou a compris que tu étais un bon client.

Les mains du vieil homme recommencèrent à caresser l'air dans une danse étrange. Alors, le jeune reprit la parole :

« Vous passez votre temps à vous persuader que le sens de la vie se cache dans un compte en banque, derrière le corps d'une femme, sous le capot d'une belle voiture ! Mais, tant que vous refuserez d'envisager la certitude de votre mort, votre existence n'aura aucun sens.

« Seuls ceux qui connaissent l'imminence de leur mort savent la valeur de leurs jours. Demandez aux condamnés à mort ! Demandez aux malades incurables !

« Vous, vous ne savez rien. »

Le prédicateur s'approcha de Noam et celui-ci put sentir la force de son souffle vide de paroles.

« Je sais que vous avez parfois, la nuit, de brefs moments de lucidité et que, durant quelques minutes, vous touchez à la vérité. Et celle-ci vous plonge dans le plus profond désarroi. Votre respiration devient courte, vous suffoquez, la sueur perle sur votre front. Vous imaginez votre corps, pourtant encore jeune et vigoureux, enseveli sous la masse sombre d'une terre humide. À vos côtés d'autres corps déjà décomposés, alignés, parallèles au vôtre.

« Vous êtes immobile, incapable de bouger, de respirer.

« Alors vous levez les yeux vers le ciel. Non plus pour regarder les astres mais pour chercher ce qui se cache au-delà de ces leurres à la lumière si pâle.

« Et vous êtes prêts à prier, à supplier, à implorer la vie de ne pas vous quitter.

« Puis, le soleil se lève et vous oubliez tout et recommencez à courir après votre ombre. »

Noam fut pris d'une frayeur indicible. Que savait cet homme sur ses crises d'angoisse, ses nuits d'insomnies ? Parvenait-il à lire en lui ?

Il n'y avait plus qu'une dizaine de personnes réunies autour du curieux tandem ; tous regardaient Noam, guettaient ses réactions. Certains lui adressèrent les sourires complices d'êtres sains d'esprit amusés par la folie d'un original.

L'homme fit quelques gestes lents, ses yeux toujours arrimés à ceux de Noam.

« Si vous connaissiez le jour de votre mort, alors seulement votre vie aurait un sens. »

Puis, il se détourna et s'éloigna, suivi de son interprète, sans quémander d'argent, fatigué par sa prestation.

Le public se dispersa.

— Eh ! Noam ! s'exclama Samy en lui tapant sur l'épaule pour l'extraire de sa torpeur.

Noam posa sur lui un regard vide.

— Dis, tu ne vas pas te laisser impressionner par un taré !

— Il s'est adressé à moi. Il a lu dans mes pensées, répondit-il d'une voix éteinte.

Samy éclata de rire.

— Il s'est adressé à tout le monde et à personne.

— Non, il a entendu mes questions. Il savait pour mes insomnies, mes crises d'angoisse.

Son ami le considéra avec circonspection.

— Dis, tu plaisantes là !

Noam resta immobile, l'air hagard.

— Non ! Tu es sérieux ? Il est sérieux ! Tu t'es laissé avoir par cette philosophie à deux balles ? Tout le monde connaît des crises d'angoisse, tout le monde se pose des questions sur la mort. Chacun a pu croire que ces paroles lui étaient adressées. Quant au fait qu'il t'a regardé toi et pas un autre, c'est un vieux truc de bonimenteurs. Ils repèrent la personne la plus influençable, celle qui, par son attitude, laisse apparaître qu'elle est sous l'emprise de leur baratin et la prennent à témoin.

Samy avait sans doute raison, Noam s'était fait avoir. La barbe, les traits émaciés et la longue tenue blanche conféraient à l'individu un charisme étrange, une allure hypnotique. Et, étant actuellement fragile, il était tombé dans le panneau.

— Je te le dis, c'est juste un vieux fou.

— Il était peut-être fou mais ses propos étaient... pertinents. Si je savais mes jours comptés, je saurais sans doute reconnaître les choses qui donnent un sens à ma vie. Je saurais où aller, qui voir, quoi dire. Le vrai cancer, celui qui ronge la conscience, les valeurs, les sentiments les plus nobles, c'est l'orgueil. Et la forme ultime de l'orgueil consiste à se croire immortel.

— Et nous voilà revenus à des considérations morbides. Que t'arrive-t-il en ce moment, Noam ?

Ce dernier hésita à relater l'incident survenu avec Anna. Samy n'était pas du genre à comprendre ce type d'histoire. Mais il ressentait le besoin d'en parler à une personne de confiance capable de porter un regard critique sur les faits.

— Il m'est arrivé un truc bizarre, concéda-t-il.

— Bizarre comment ?

— Dans le genre... perturbant.

— Raconte.

Alors qu'ils pénétraient dans leur bureau, Noam confia l'épisode de la révélation d'Anna. Quand il eut terminé, Samy le dévisageait avec circonspection.

— Tu es sérieux ?

— Je t'assure que tout est vrai. Elle m'a sorti cette phrase comme ça.

— Non, je veux dire... tu accordes vraiment de l'importance aux paroles d'une enfant de trois ans ?

— Mais enfin, c'est étonnant, non ?

— J'ignore ce qu'elle a vraiment dit et comment elle l'a dit, mais je veux bien te croire. Après tout, elle a pu répéter une phrase entendue quelque part, à la télé sans doute. En fait, ce qui m'inquiète, c'est que cela t'ait à ce point troublé. Il faut que tu atterrisses, Noam ! Ici, c'est la vraie vie, nous sommes en pleine journée et le monde tourne selon des lois scientifiquement établies ! Nous ne sommes pas au cœur de la nuit, au milieu d'une de tes crises d'angoisse ou dans l'un de tes cauchemars !

— Si tu l'avais entendue, tu...

— Arrête ça tout de suite ! s'énerva Samy. Ta nièce, le vieux fou... t'es en plein délire !

— Bon, je savais que c'était une connerie de te le raconter.

— Il faut absolument que tu consultes un spécialiste.

— J'ai pris rendez-vous, coupa court Noam.

— Bonne nouvelle.

Son téléphone portable sonna et Noam décrocha. Il fit mine de s'intéresser à un problème de livraison mais perçut l'inquiétude que ses propos avaient fait naître chez son ami.

Les mots d'Anna puis cet étrange prédicateur dans la rue ! Je ne suis ni croyant ni superstitieux. Je ne crois pas aux signes, aux messages occultes. Je suis un être sensé. Oui, c'est ce que j'ai envie de croire : je suis un être rationnel.

Pourtant, cette logique que je croyais armure ressemble à un fragile vernis qui craquèle sous les coups de ces invraisemblables événements.

Les mots du vieil homme m'ont atteint, comme ceux d'Anna. J'ai sincèrement cru qu'il s'adressait à moi, qu'il avait su lire dans mes yeux, plonger dans mon cœur et comprendre mes pensées.

Le vieil homme a raison : je ne vis pas. Je poursuis mon ombre, mes ombres, sans savoir où elles me conduisent.

Celui que je suis n'est qu'un lâche, un pleutre qui subit les faits et refuse l'avenir. Rien ne peut me permettre d'espérer qu'un jour je changerai afin de devenir meilleur et de vivre ma vie pleinement. Au contraire, mon cas empire. Les fondements de ma raison sont atteints par des circonstances qu'hier encore j'aurais ignorées ou dont j'aurais ri.

Je ne peux rester ainsi et attendre. Je dois trouver une issue. Mes confidences à ce cahier ne suffiront pas. L'amour que je voue à ma sœur et ma nièce non plus.

J'ai donc pris la décision d'agir.

Demain, j'irai voir celle qui m'a un jour aidé à me trouver.

La connaissance

Je suis celle qui sait.

Et qui en souffre.

Pour vous, êtres dits normaux, la connaissance s'inscrit dans un mouvement : apprendre chaque jour plus avec l'illusion de s'approcher du but ultime. Quête juste, mais vaine, puisque la connaissance est infinie et l'infini toujours plus loin, au-delà de votre portée.

Cette connaissance, je la possède car le temps n'existe pas pour moi. Tandis qu'hier, aujourd'hui et demain se confondent, l'avenir se trouve déjà là, sous mes yeux.

Je suis une âme enfermée dans un corps. Les hommes me disent autiste. Mon corps, petit, immobile, inutile, est la prison de mon âme. Il l'empêche de s'exprimer mais ne la limite pas. C'est pour ça que je sais.

Avant d'arriver sur terre, les âmes savent tout. Mais, en naissant, elles perdent cette vertu et vouent leur vie à tenter, ou non, de la retrouver. Leurs corps est le moyen donné pour apprendre. Certains l'utilisent à cette fin, d'autres juste pour en jouir. Les premiers ouvrent leur cœur et leur âme sur le monde, les enflamment, repoussent leurs limites, cherchent à renouer avec l'absolu. Les seconds les éteignent doucement.

Quant à moi, mon enveloppe charnelle ne me sert à rien puisque je sais tout. Mon âme est restée grande et continue à voyager dans les secrets du monde.

Ceux qui m'aiment et souffrent de me voir ainsi ne suspectent pas le bonheur et la douleur que me procure cette profonde connaissance. Je sais les joies et les drames qui demain surviendront aux hommes et femmes qui m'entourent. Mais je ne peux rien leur dire. Il m'est juste permis d'indiquer le chemin vers lequel ils doivent aller afin de découvrir qui ils sont réellement.

Je ne suis autorisée à leur parler que s'ils m'interrogent.

Sur l'ordinateur placé devant moi, j'ai souvent conseillé des hommes et des femmes perdus au cœur de leur existence. Je voyais clairement leur avenir inscrit entre deux chemins : le pire et le meilleur, mais je n'étais pas censée le leur révéler. Mes conseils devaient seulement les inciter à laisser éclore les valeurs capables de les conduire vers le meilleur.

Dans quelques jours, il viendra à moi. Pour chercher une réponse aux questions qui le hantent mais qu'il ne parvient pas à formuler. Et je lui indiquerai la voie. Avec tendresse et compassion. Il est tellement fragile. Comme tous les hommes ayant compris que leurs jours sont comptés et qui ne savent que faire d'une telle vérité.

Chapitre 5

— Noam ! s'écria Aretha Laurens, en ouvrant les bras.

Noam hésita à lui tendre la main ou accepter l'accolade de celle avec laquelle il avait passé les moments parmi les plus importants de son enfance. Aretha Laurens l'attira vers elle et l'embrassa chaleureusement. Cette manifestation d'affection le toucha.

Lorsqu'il était son patient, Aretha Laurens avait été l'une des psychologues pour enfants les plus connues du pays. Disciple de Françoise Dolto, elle savait écouter les petits qui lui étaient confiés. Tendre, amène, attentive, elle les plaçait au cœur d'une relation dans laquelle ils reprenaient confiance en eux et en ceux qui les entouraient. Elle traduisait leurs silences, leurs regards, leurs hésitations, les mots qu'ils posaient sur les choses anodines ou importantes de leurs vies.

Sa réputation avait précédé sa notoriété. Après des années de pratique, elle avait écrit des essais. Noam avait été l'un des cas traités dans son premier ouvrage intitulé *L'Enfant qui voulait parler*.

Lorsqu'on le lui avait confié, Noam était silencieux. Pas totalement muet mais limitant ses propos au strict nécessaire, à quelques mots choisis avec appréhension, comme s'il craignait d'épuiser son crédit de vocabulaire. Le docteur Laurens lui avait réappris à s'exprimer, d'abord avec des jeux, puis des dessins, enfin des phrases.

Mais la thérapie avait pris fin et c'est avec regret qu'il avait cessé de voir sa confidente. Il avait alors dix-sept ans. Sa vie l'attendant depuis trop longtemps déjà, il s'était lancé dans son mouvement comme un désespéré, avec l'espoir de se fondre dans la masse, de noyer ses souvenirs dans les exigences du présent.

La psychothérapeute avait, de loin en loin, continué à prendre de ses nouvelles, par téléphone. Puis elle avait cessé de l'appeler. Noam avait d'abord cru que ses activités ne lui laissaient plus le temps d'entretenir ses anciennes relations et lui en avait voulu. Puis, plus tard, il avait compris que la séparation faisait partie du processus.

Aretha Laurens, maintenant à la retraite, continuait à tenir une rubrique dans un magazine grand public, publiait parfois un livre. Noam n'avait jamais rien lu de ce qu'elle avait écrit.

— Vous n'avez pas changé, déclara-t-il en prenant place sur le fauteuil qu'elle lui avait désigné.

— Tu sais parler aux femmes, Noam, mais je n'en crois pas un mot. J'ai vieilli. Je suis toute ridée et souffre du dos. Mais bon, certains mensonges sont si doux.

Aretha avait vieilli, c'est vrai. Mais son regard avait conservé de la vivacité et son maintien restait celui d'une femme élégante et alerte.

— Tu es devenu un bel homme, Noam, déclara-t-elle avec tendresse. Et tu possèdes toujours ton indomptable mèche ! poursuivit-elle en riant.

Les yeux de la thérapeute partirent fureter dans le passé, à la recherche du petit garçon triste et muet qu'elle avait pris en charge à la suite de l'accident survenu à sa mère.

— Ton appel m'a fait plaisir. Puis je me suis inquiétée. Car, après tout, quand on renoue le contact avec son ancienne psy, ce n'est pas pour prendre de ses nouvelles ou parler du bon vieux temps. Quoi qu'on en dise, on l'associe à ses problèmes passés. Et si on veut la revoir, c'est qu'on éprouve le besoin de se confronter à nouveau à eux. Je me trompe ?

— Il est vrai qu'il aurait été plus généreux de vous appeler quand tout allait bien. Je vous dois tant...

— Foutaises. Nous avons partagé un temps important de nos vies. Tu m'as beaucoup appris sur mon métier. Et je ne me suis pas gênée pour utiliser ce que j'ai retiré des moments passés en ta compagnie à des fins pédagogiques. Narcissiques peut-être aussi.

— Le fameux cas de *L'Enfant qui voulait parler*.

— Tu l'as lu ?

— Non, je n'ai jamais osé.

— Tu as bien fait. Cela n'a aucun intérêt pour toi. Et tu ne te serais sans doute pas reconnu. Alors, que t'arrive-t-il, Noam ? Tout à l'heure, tu as fait référence à une période où tout allait bien. Tu as utilisé le passé pour la mentionner.

— Oui, il y a eu une période... normale. Enfin, je croyais que je menais la même vie que les autres. Mais, en fait, je pense que je me trouvais juste dans la négation du réel.

— Attention, tu parles comme un mauvais psy, plaisanta Aretha Laurens. Raconte-moi tout, dans l'ordre dans lequel tu le souhaites.

Noam relata alors ses études, sa volonté de réussir dans son travail, les années passées à croire que tout allait bien. Puis la chute. Non, pas la chute, rectifia-t-il, la lente dégradation du quotidien, la fuite en avant, son trop grand investissement dans le travail, sa fébrilité croissante devant l'avenir et ses sorties sans but, ses conquêtes d'une nuit, d'une semaine.

Aretha l'écoutait comme une amie, une parente et non avec l'attention réservée d'une psychologue.

— Quel regard portes-tu, aujourd'hui, sur ces années ?

— J'ai l'impression d'un immense gâchis.

— Et que s'est-il passé ces derniers temps pour que tu éprouves le besoin de venir m'en parler ?

Il réfléchit. Objectivement, rien d'extraordinaire n'était survenu. Il y avait juste l'effroyable impression de tomber dans un gouffre toujours plus sombre, de se détacher lentement de la réalité, de s'éteindre... Puis les deux incidents qui l'avaient perturbé.

— Je fais de terribles crises d'angoisse, commença-t-il.

Le docteur Laurens hocha la tête, pensive.

— Raconte-moi, proposa-t-elle.

Il parla alors de ses insomnies, de ces moments de panique où il était persuadé de vivre les derniers instants d'une vie dont il ne comprenait pas le sens et dans laquelle il ne laisserait aucune trace.

— Tu songes souvent à la mort ?

— J'essaie de ne pas y penser.

— Ce qui revient à dire qu'elle est omniprésente.

— C'est vrai, reconnut-il.

— De quand date cette peur ? En as-tu une idée ?

— Non. J'ai l'impression qu'elle a toujours été présente.

— La mort existe dès les premiers instants de vie, déclara la vieille dame.

— Oui, je sais. On me l'a encore rappelé récemment, dit-il en pensant au prédicateur. Mais personne n'en fait une obsession au point de ne plus trouver goût aux jours. Pourquoi suis-je obnubilé par cette idée ?

La psychothérapeute, soudain soucieuse, réfléchit avant de répondre.

— Parce que tu es plus lucide que les autres. Et, ne crois pas que tu sois le seul à transformer la mort en toile de fond de l'existence. Nombreux sont les hommes et les femmes que cette idée obsède. Certains avec autant d'acuité que toi, d'autres préférant la voir à travers des lumières plus douces.

— C'est-à-dire ?

— La religion par exemple. La foi religieuse est l'une des voies empruntées par ceux qui envisagent la mort sous un autre jour. De quoi parlent les religions ? De la mort après la vie, de la vie après la mort, de la vie pour apprendre à mourir, de la mort pour apprendre à vivre. Certains ont recours à d'autres religions que celles auxquelles tu penses, des plus profondes aux plus superficielles : la philosophie, la mystique, l'argent, le pouvoir, la renommée. Chacun emprunte la voie qui lui paraît la mieux adaptée à son désir de donner un sens à la vie, à la mort ou, au contraire, de nier qu'elle ait un sens.

— Je saisis. Enfin, je comprends au moment où vous me le dites mais, dès que ces crises d'angoisse s'emparent de moi, je suis à mi-chemin entre l'enfant effrayé que j'étais et l'adulte lucide, trop lucide, que je suis devenu.

— C'est parce que l'enfant est lucide qu'il est effrayé. Ses peurs sont vraies, ses pleurs sont des cris dont l'intensité est liée à l'horreur du drame qu'il vit.

— Mais ces crises d'angoisse... qu'en pensez-vous ?

— Crises d'angoisse... l'expression ne veut pas dire grand-chose. De plus en plus d'hommes et de femmes sont sujets à ce type de malaises. Ce qui ne signifie pas que nous en souffrions plus qu'avant mais qu'aujourd'hui nous pouvons en parler. Nous osons poser des mots, des théories sur ce phénomène : la crise de la quarantaine, de la cinquantaine, l'angoisse existentielle, le sentiment de précarité face à une société plus exigeante...

— Y a-t-il des traitements contre cette maladie ?

116

— Ce n'est pas une maladie, Noam, mais la manifestation d'un mal plus profond, tout comme l'eczéma ou les coliques peuvent exprimer autre chose qu'un simple dysfonctionnement organique.

— Aidez-moi, docteur. Je ne peux pas continuer à vivre comme ça. J'ai l'impression de devenir fou.

La requête troubla Aretha Laurens. Elle fixa Noam comme pour évaluer l'ampleur de son désespoir.

— Ce que tu me décris tient de l'état dépressif, non de la folie, Noam. Y a-t-il eu un élément déclencheur ?

— Un élément déclencheur ?

— Oui, s'est-il passé quelque chose qui t'a conduit à penser que tu devenais fou ?

Noam hésita.

— Ce que m'a dit Anna, ma nièce.

— Raconte-moi, l'encouragea Aretha Laurens.

Il lui confia l'étrange scène. Son récit fut court mais il ressentit le même malaise que lorsque les faits étaient survenus.

Quand il eut fini, la psy marqua un temps d'arrêt.

— Es-tu certain d'avoir entendu cela ? poursuivit-elle.

— J'en étais sûr ! Mais les jours qui passent estompent cette certitude et je me dis que j'ai, peut-être, tout imaginé ou mal compris. J'ai aussi envisagé une sorte de télépathie. Il paraît que, parfois, les enfants entendent les pensées de leurs proches... La mort m'obsède, Anna l'a peut-être ressenti et l'a formulé à sa manière...

— À sa manière ? Avec une phrase d'adulte ? C'est ce que tu crois ?

— Je ne sais quoi penser ! Je perds pied, docteur ! Et puis il y a eu ce prédicateur.

— Un prédicateur ? s'étonna-t-elle.

Il restitua les propos du vieil homme et confia ce que ces paroles avaient déclenché en lui.

— Avant, je n'aurais jamais prêté attention à ce que j'aurais considéré comme des foutaises. Aujourd'hui, ces événements m'atteignent sans que je puisse rien faire. J'ai l'impression de sombrer lentement. Il faut que vous m'aidiez.

Une ombre traversa le visage d'Aretha Laurens. Elle se demanda si elle ne s'était pas trompée toutes ces années en présentant le cas de Noam comme une réussite.

— Je ne sais si je peux t'aider, Noam, trancha-t-elle alors. Je suis trop marquée par l'expérience que nous avons vécue ensemble. Et je n'exerce plus, tu le sais.

— Mais… vous ne pouvez pas me laisser tomber, s'indigna son ancien patient.

Aretha sourit tendrement.

— Me connais-tu si mal pour penser que je sois capable de t'abandonner à tes tourments ? Non, je vais y songer. Et je vais sans doute te recommander d'aller voir un de mes confrères.

— Un confrère ? Mais vous savez pertinemment qu'avant de vous rencontrer j'avais épuisé plusieurs d'entre eux. C'est à vous que je m'adresse parce que j'ai confiance en vous.

— Tu auras donc confiance en ma préconisation, n'est-ce pas ? J'ai une petite idée, mais je dois encore y penser. Je t'appellerai dans la semaine.

Sur ce, le docteur Laurens se leva pour raccompagner Noam. À la chaleur de leurs retrouvailles s'était substituée une cordialité toute professionnelle. Une distance aussi.

*
* *

Quand elle fut seule, Aretha Laurens ressortit le dossier de Noam et le relut avec attention. Ensuite, elle s'accorda quelques instants pour réfléchir à l'idée qui avait germé dans son esprit quand Noam s'était confié à elle. Enfin, résolue, elle pianota sur son ordinateur, trouva rapidement les coordonnées qu'elle recherchait et décrocha son téléphone.

— Linette Marcus.

— Bonjour Linette, c'est le docteur Laurens.

— Docteur Laurens ? s'étonna l'interlocutrice. Quelle surprise ! Cela fait si longtemps.

— J'aimerais vous voir Linette.

— Me voir ? Pour quelle raison ? Vous me paraissez inquiète.

— Êtes-vous libre demain ?

— Demain ? Difficile, j'ai un tas de rendez-vous. Ensuite je pars à l'étranger pour une conférence et...

Le docteur Laurens l'interrompit.

— Je dois vous parler de Noam Beaumont.

Linette Marcus se tut.

— D'accord, demain, répondit-elle alors. À quelle heure ?

— Tu ne peux pas nous faire ça, Noam ! geignit Élisa en se laissant tomber sur une chaise.

— On doit négocier un marché important, marmonna son frère, embarrassé. Et le conclure en septembre. Il va falloir que je reste au bureau en août.

— Nous avons déjà réservé ces vacances ! Anna et moi nous faisions une joie de partir avec toi !

— Je n'ai pas vraiment le choix...

— Quand auras-tu enfin le choix, Noam ?

L'exaspération perçait dans la voix d'Élisa ; Noam fit profil bas.

— Quand donc prendras-tu ta vie en main ! poursuivit-elle. Tu subis les événements. C'est comme si rien ni personne n'avait vraiment d'importance pour toi.

— C'est faux, se rebella-t-il. Tu sais à quel point Anna et toi comptez pour moi.

— J'en doute parfois.

— Qu'aurais-je dû faire ? Démissionner ?

— C'est une possibilité ! Tu es surqualifié pour ce job. Tu trouverais vite un autre boulot, j'en suis sûr. As-tu seulement essayé de discuter avec ton boss ? Lui as-tu expliqué que tu avais prévu des vacances ?

— Je suis le seul célibataire du service, argumenta-t-il en évitant de répondre précisément aux questions d'Élisa. Duchaussoy pense sans doute que je peux prendre mes vacances à n'importe quel moment de l'année afin que les autres collaborateurs puissent partir en famille.

Devant son air penaud, Élisa fut prise de compassion. Elle vint s'asseoir près de lui.

— OK, je suis sans doute injuste avec toi. Mais j'étais tellement heureuse à l'idée de prendre du bon temps avec vous deux.

— C'est moi qui suis injuste, Élisa. Tu as raison : je suis incapable de défendre mes convictions. Je subis ma vie, comme toujours.

— Nous formons une drôle de famille, n'est-ce pas ? Toi qui n'arrives jamais à dire non ou choisir et moi qui prends toujours les mauvaises décisions.

Il posa son bras sur les épaules de sa sœur.

— Tu voulais un enfant, tu l'as eu. Je trouve donc que tu t'en tires plutôt pas mal.

— Mais toi, Noam ? Quand te décideras-tu à faire ta vie ?

— Faire ma vie ? L'expression me paraît tellement bizarre. Trouver une femme, avoir des enfants... Ne peut-on faire sa vie en restant seul ?

— Quelle remarque idiote ! Tu sais très bien ce que j'entends par là. Tu n'es pas de la trempe de ceux qui avancent en solitaire dans l'existence. Je sais, qu'au fond de toi, tu aspires à faire une belle rencontre.

— Tu te trompes.

— Ah bon ? Tu pourrais me jurer ne pas désirer avoir un ou des enfants ?

— Je ne me sens pas du tout l'âme d'un chef de famille.

— Tu serais pourtant un père fantastique. Il n'y a qu'à te voir avec Anna pour comprendre que c'est un rôle qui te comblerait.

— Anna est ma nièce. Je ne la vois que quelques heures par semaine. Dans ce cadre-là, je sais l'aimer, profiter des instants partagés. Mais admets que je ne suis pas suffisamment responsable pour devenir père ! Pour cela, il faut avoir foi en l'avenir, aimer la vie, l'envisager avec sérénité.

— Crois-tu vraiment que tous les hommes se posent ces questions ? Ils deviennent pères puis, ensuite, apprennent à devenir adultes.

Il la considéra avec étonnement.

— Tu penses vraiment ce que tu dis ? Tu oublies notre père ou ton ex-mari ?

— Laisse mon ex-mari de côté, considère-le seulement comme le géniteur que j'ai sélectionné pour avoir l'enfant dont je rêvais. Quant à notre père, la mort de maman lui a ôté toute sa foi en l'existence.

— Et il nous a oubliés.

— Il s'est d'abord oublié lui-même.

— Alors évoquons tous ces pères qui abandonnent leurs femmes et leurs enfants pour une aventure. Ou ceux qui préfèrent se consacrer à leur carrière et négligent leur progéniture. Ou...

— Tu ne vois que ce que tu veux voir, Noam. Tu regardes le monde à travers le prisme de ton foutu pessimisme afin de ne pas t'interroger sur toi-même et de ne pas affronter tes responsabilités.

— Tu penses vraiment ça ?

— Oui, petit frère. Il y a toujours eu une part d'ombre en toi. Parfois, elle disparaissait et tu te montrais entreprenant, volontaire. Et quand elle surgissait, tu paraissais rêveur. Ça te donnait même un certain charme. Mais, j'ai l'impression qu'avec les années, cette ombre a envahi tout ton monde intérieur. Tu deviens toi-même une ombre, Noam. Tu traverses la vie en caressant les êtres, sans les toucher vraiment, parfois grandi par leur lumière, d'autres fois en te laissant fouler par leurs pas.

Noam considéra cette image avec perplexité.

— Nous n'avons jamais su nous relever du départ de maman, n'est-ce pas ? interrogea Élisa dans un murmure.

Cette réflexion surprit Noam. Le décès de leur mère était un sujet tabou. Trop présent, trop difficile à assumer, ils avaient préféré le laisser se glisser dans leurs silences.

— Tu t'en es mieux tirée que moi.

Elle haussa les épaules, incertaine de la pertinence de cette assertion.

— Tu t'en tireras aussi.

— Je l'espère. D'ailleurs... je suis retourné voir le docteur Laurens, déclara Noam.

— Ah ? Quand ? Et pourquoi ?

— Il y a quelques jours, dans l'espoir de dissiper ce que tu appelles ma part d'ombre.

— Ce que je veux dire c'est : pourquoi maintenant ? T'est-il arrivé quelque chose ?

Noam hésita. Que répondre ? Devait-il lui révéler les paroles d'Anna et leur effet ? Élisa savait son frère anxieux mais il lui avait caché la violence de son mal-être pour la préserver.

— Rien de particulier, mentit-il. Juste l'envie de comprendre pourquoi je ne parviens pas à avancer.

Élisa posa la tête sur son épaule.

— Que t'a-t-elle dit ?

— Qu'elle n'exerçait plus. Mais elle m'a recommandé auprès d'une consœur.

— Tu vois, tu sais prendre les bonnes décisions quand il le faut.

Chapitre 6

Le blanc prédominait, conférant à la salle d'attente une atmosphère sereine. Les rayons du soleil pénétraient par deux fenêtres et venaient caresser les lignes élégantes d'un mobilier contemporain dont la prétention semblait être de structurer l'espace sans occuper le volume afin de composer un ensemble harmonieux. En d'autres circonstances, Noam aurait apprécié cette esthétique mais, pour l'heure, il était anxieux. Il fit quelques pas sur l'épaisse moquette afin de tromper sa nervosité. Qui était cette Linette Marcus ? Elle l'avait appelé de la part du docteur Laurens et lui avait proposé ce rendez-vous.

Quand elle apparut, il la dévisagea. Linette Marcus affichait à la fois une allure rigoureuse, presque austère, et une expression affable. Elle devait avoir une quarantaine d'années, était petite et assez frêle. Ses cheveux tenus par une queue-de-cheval révélaient des traits anguleux qu'un regard tendre adoucissait. Elle resta un instant figée, comme si elle étudiait Noam ou cherchait dans son regard une information importante. Ce comportement l'intimida et il ne lui offrit en retour qu'un faible sourire. Elle parut réaliser la gêne de son hôte et avança vers lui main tendue.

— Je suis ravie de vous rencontrer, Noam, dit-elle avant de l'inviter à la suivre dans son bureau.

Même décor, même atmosphère. Elle s'assit derrière un meuble design et l'invita à prendre place face à elle.

— Le docteur Laurens m'a appelée et demandé de vous recevoir. Et je ne sais rien refuser à cette éminente consœur.

Noam crut à nouveau saisir un trouble dans son regard. Linette Marcus l'observait d'une manière particulière, sans qu'il puisse dire s'il s'agissait de curiosité personnelle ou d'intérêt professionnel. Il remarqua que ses mains tremblaient un peu. Elle s'empressa de les poser à plat et tenta de se ressaisir.

— Pourquoi vous ? s'enquit Noam, ne sachant si sa question était inconvenante.

— C'est-à-dire ? interrogea-t-elle, sans masquer sa surprise.

— Selon vous, pourquoi Aretha Laurens vous a-t-elle appelée vous, plutôt qu'un autre confrère ? Est-ce pour vos compétences, la relation qui vous unit, les méthodes que vous utilisez ?

Linette Marcus prit le temps de réfléchir.

— Pour toutes ces raisons sans doute. Plus une : je vous connais.

Devant l'étonnement de Noam, elle s'empressa de compléter :

— Durant mes études de psychologie, je me suis intéressée au fameux cas de *L'Enfant qui voulait parler*. J'ai rencontré le docteur Laurens et nous avons discuté de... vous. Enfin, de l'enfant que vous étiez et de la thérapie qu'elle avait mise en place. Je suis, par la suite, restée en contact avec elle. Elle s'est intéressée à mes idées, mes méthodes, a assisté à quelques-unes de mes conférences.

— Et quelles sont ces idées, ces méthodes ? Qu'ont-elles de particulier ? s'intéressa Noam.

Linette Marcus se cala dans son fauteuil, considéra son interlocuteur avec attention puis répondit :

— Je ne suis pas vraiment psychologue. Enfin... pas seulement. À une étude très dogmatique de la psychologie, j'ai préféré une approche transversale, ouverte sur toutes les connaissances attachées à l'esprit, aux relations entre l'âme et le corps. La Kabbale, le bouddhisme, la médecine chinoise, le tantrisme par exemple. Je suis allée chercher dans chaque discipline ce qui me paraissait pertinent pour tenter d'apaiser mes patients, leur proposer de nouvelles perspectives, leur permettre de se connaître. J'ai, en quelque sorte, élaboré ma propre théorie, mes propres méthodes de suivi et de traitement de l'esprit. Bien entendu, elles sont contestées par mes confrères. Quelques-uns me traitent de charlatan, de gourou, la plupart m'ignorent. Mais certains, ils sont peu nombreux, s'intéressent à mes propositions. C'est le cas du docteur Laurens.

— Et dans quel cadre avez-vous étudié mon cas ? reprit Noam, intrigué par le personnage.

Linette Marcus parut se replonger dans un lointain passé, à la recherche des circonstances exactes dans lesquelles elle avait abordé son cas. Son visage se durcit quelques secondes.

— Il y a longtemps. À l'époque, j'étais étudiante et pas tout à fait satisfaite par l'enseignement universitaire de la psychologie. J'ai repris certains travaux du docteur Laurens et les ai soumis à mes propres théories. Un pari risqué et sans doute prétentieux.

— Que pensiez-vous du travail effectué par le docteur Laurens avec le petit garçon que j'étais ?

Une ombre passa sur le visage de la thérapeute.

— Je l'avais trouvé intéressant, se contenta-t-elle de répondre.

Elle hésita à développer son propos puis soupira et balaya ses idées d'un geste de la main.

— Cessons de parler de moi. Il était nécessaire que je me présente mais je suis surtout là pour vous écouter.

Noam, se sentant désormais en confiance lui raconta sa dépression, ses crises d'angoisse, son obsession de la mort.

Linette Marcus, attentive, prenait des notes. Quand il cessa son récit, elle leva sur lui un regard interrogatif.

— Vous ne m'avez pas tout dit, Noam. Parlez-moi de l'étrange phrase prononcée par votre nièce.

Noam nota que le docteur Laurens avait mentionné cette partie de son histoire, ce qui signifiait qu'elle lui accordait une certaine importance. Il lui décrivit la scène.

— Avez-vous eu l'impression que ces paroles ne lui appartenaient pas, qu'elles étaient totalement incongrues dans sa bouche ?

— Oui, c'est exactement ça. Les propos, le ton de sa voix, la situation... Comme si quelqu'un s'exprimait à travers elle. Je sais, c'est ridicule.

— Et la rencontre avec ce... prédicateur ?

Noam en fit le récit.

Linette Marcus, attentive, concentrée, griffonna quelques mots.

— Croyez-vous en Dieu, Noam ?

— Dieu ? Non, répondit-il, catégorique.

— Athée ?

— Pas vraiment... se ravisa-t-il. Disons que je suis agnostique. Je crois en une force supérieure. Il y a peut-être un grand ordonnateur du monde, mais je n'arrive pas à le résumer à une religion, à des pratiques. Pourquoi cette question ?

— Pour connaître les dimensions que vous donnez à votre âme.

— Les dimensions que je donne à mon âme ?

— Oui, le terrain sur lequel évolue votre âme est fait des questions que vous vous posez, de ce que vous êtes prêt à envisager, à croire, à accepter. Une personne strictement matérialiste la confine dans un rapport de possession. Un scientifique lui offre ses terrains d'investigation. Un intellectuel lui permet d'aller fureter aux limites de sa raison. Un mystique abat les barrières de la rationalité pour laisser son âme prendre la place qu'elle souhaite et se nourrir de toutes les interrogations possibles.

— Il vaut donc mieux être mystique que matérialiste, scientifique ou intellectuel ?

— Pas du tout. Chaque âme possède sa propre dimension. Il convient simplement de ne pas la forcer à être ce qu'elle n'est pas, à aller là où elle ne veut pas aller et, surtout, éviter de la réduire.

Noam prit le temps d'envisager ces propos insolites.

— J'aimerais que vous me parliez de l'accident survenu à votre mère, déclara soudainement Linette Marcus.

À cette demande, il se crispa. Il y avait si longtemps qu'il n'avait pas posé de mots sur le drame de son enfance. La seule fois où il avait accepté d'en parler, c'était pour commenter un dessin, face au docteur Laurens. Depuis, il n'était jamais revenu sur le sujet si ce n'est afin de l'évoquer rapidement avec Aretha Laurens, Élisa, Julia et Samy. Tout cela était si loin maintenant, si flou, comme s'il avait enfermé une vérité dans un coffre dans le but de ne plus la voir, de se délester d'un poids trop lourd à porter.

— Vous le voulez bien ? relança la thérapeute.

— Est-ce… est-ce bien nécessaire ?

— Ça l'est, Noam. Votre rapport à la mort commence avec celle de votre mère.

— Je m'en doute, mais cela pourrait-il expliquer mon obsession ?

— Nous ne pouvons éluder cette éventualité.

L'hypothèse était viable, il le comprenait. Le décès de sa mère et le sentiment de culpabilité longtemps éprouvé avaient composé un terreau fertile à ses angoisses. Mais il existait autre chose. Quelque chose qui dépassait ce que ses souvenirs lui suggéraient, quelque chose de profondément ancré que ses mots n'étaient jamais parvenus à atteindre.

— En fait, je ne me souviens pas de grand-chose, murmura-t-il. Il y a ce que j'ai vécu, ce que j'ai dit, puis tous les cauchemars que j'ai ensuite faits… Or, tout s'emmêle maintenant et je ne sais plus faire la part du vrai et du faux.

— Je comprends. Mais racontez-moi ces instants douloureux tels qu'ils vous viennent à l'esprit.

Noam ferma les yeux, plongea à l'intérieur de lui-même en quête de ces souvenirs. Et il lui décrivit les images qui, lentement, remontaient des ténèbres de sa mémoire.

Quand il eut fini, il observa la thérapeute et fut surpris par son expression. Émue, elle retenait les larmes qui avaient envahi ses yeux.

— Mon histoire vous touche ? Marrant, je croyais que les psys ne devaient pas dévoiler leurs émotions.

— Les psys peut-être, reconnut Linette, embarrassée. Mais, je vous l'ai dit, je suis une thérapeute d'un autre genre et l'empathie fait partie de mon approche. Elle est également une des composantes de mon caractère.

— Alors ? Que pouvez-vous me révéler sur moi-même ? Quelles sont les causes de ma… dépression ? La résurgence de ma douleur passée ?

La praticienne posa son menton sur ses poings et ferma les paupières un instant. Cette attitude lui donnait l'air d'une bigote en train de prier. Réfléchissait-elle à ce qu'elle allait déclarer ou compulsait-elle ses connaissances à la recherche d'une réponse ? Après une pesante minute de silence, elle ouvrit les yeux et Noam vit briller dans ses pupilles l'éclat d'une froide détermination.

— La clé est à trouver dans... la révélation que vous a faite votre nièce, annonça-t-elle froidement.

— La révélation ? répéta Noam.

— Selon moi, Anna vous a révélé une vérité.

— Quelle vérité ? s'étonna-t-il. Que je vais faire une crise cardiaque ?

— Vous allez mourir du cœur, a-t-elle dit. Cela peut être compris ainsi, en effet. Ou tout autrement !

— Mais enfin, s'insurgea-t-il, croyez-vous vraiment qu'une enfant de trois ans puisse posséder un pouvoir de divination ? C'est... n'importe quoi !

— Certes, cela paraît fou si on l'envisage selon une approche rationnelle. Mais pas si nous avons recours à certaines théories mystiques...

— Des théories mystiques ! se révolta Noam. Quelles théories expliquent qu'une enfant annonce à son oncle son prochain décès ?

— Calmez-vous, Noam. Et soyez honnête : n'avez-vous pas envisagé la possibilité qu'Anna vous ait dévoilé un secret ?

Il hésita, fit quelques gestes pour appeler à sa rescousse des mots qui ne vinrent pas.

— Bien sûr, finit-il par admettre. Tout comme j'ai envisagé bon nombre d'idées toutes *aussi farfelues les unes que les autres*.

— En laissant votre âme prendre sa vraie dimension, corrigea Linette Marcus. Nous possédons tous la capacité d'imaginer des raisons dites obscures ou folles aux faits que nous ne pouvons expliquer. Nous sommes tous des êtres mystiques. Notre histoire le prouve. Le mysticisme, le surnaturel ont longtemps guidé les hommes, le plus souvent pour les perdre. Puis le rationalisme s'est imposé comme porteur de lumière, de progrès et tout autre mode de pensée s'est vu qualifié d'obscurantisme. Néanmoins, je suis persuadée que les vérités se cachent dans une équation prenant en compte les deux modes de pensée.

— Et quelle est cette théorie brillante qui expliquerait qu'Anna m'a... délivré un message ?

Linette Marcus respira profondément comme pour trouver le courage de répondre à Noam. Puis, d'une voix claire et ferme, elle répondit :

— La prophétie des innocents.

*
*   *

Il avait marché rapidement comme pour semer les mots et les émotions qui ne cessaient de le harceler. Puis, essoufflé, il s'était arrêté dans un café, pour s'asseoir parmi des gens normaux, au milieu d'une scène de vie banale, pour s'ancrer dans la réalité et tenter de recouvrer son calme après les spéculations de Linette Marcus.

« Ce que je vous dis est perturbant, je le conçois, avait-elle déclaré en le raccompagnant à la porte du cabinet. Mais prenez le temps d'y réfléchir. Si vous décidez que tout cela n'a aucun sens, nous n'en parlerons plus. D'ailleurs, dans ce cas, vous ne reviendrez sans doute pas me voir. Mais si vous pensez que cette piste vaut la peine d'être explorée, alors je vous indiquerai la marche à suivre. »

Sur le moment, il avait eu l'intention de lui cracher au visage son incrédulité, de l'envoyer paître, d'exprimer la colère qu'avaient suscitée ces délires explicités sur un mode presque professoral. Mais il avait seulement été capable de se lever et de fuir. Comme toujours.

Que lui voulait cette femme ? Comment pouvait-elle adhérer à des idées aussi farfelues ? Comment imaginait-elle le convaincre de leur véracité ? Il ne croyait pas à la divination, à la magie, aux pouvoirs surnaturels.

Pourtant, certains arguments le contraignirent à envisager les déclarations de la thérapeute sous un angle plus prosaïque. Des arguments qui le contrariaient : tout d'abord, il fallait reconnaître que Linette Marcus n'avait rien d'une illuminée. Ensuite, elle lui avait été recommandée par une des personnes qu'il respectait le plus. Enfin, bien qu'il s'en défendît, les idées développées avaient rencontré en lui le lointain écho d'une vérité qu'il ne parvenait pas à appréhender.

Et s'il voulait être honnête, dès lors que l'on acceptait le postulat de base, cette théorie devenait même attrayante.

La prophétie des innocents, répéta-t-il mentalement. Et il reprit une à une les explications de Linette Marcus. Selon elle, dans toutes les croyances – religieuses, mystiques, surnaturelles – Dieu, ou une force supérieure, entrait parfois en relation avec les êtres humains pour révéler un message censé guider leurs vies. Dans les temps anciens, les prophètes étaient chargés de délivrer ces messages. Choisis pour leur pureté, exempts de toutes fautes, possédant une âme pure, ils pouvaient accueillir les paroles sacrées et les porter auprès de leurs contemporains afin de les convaincre de changer de voie, de retrouver le sens de leurs vies.

Mais ces prophètes avaient disparu car il n'existait plus d'hommes ou de femmes suffisamment purs pour mériter cette mission. L'esprit des êtres humains était souillé de pensées négatives, voire pernicieuses, leur bouche salie par les mots jusque-là prononcés. Cependant, la communication entre le monde d'en haut et celui d'en bas ne s'était pas interrompue pour autant. La théorie de l'innocence prophétique révélait que certains êtres pouvaient encore, occasionnellement, servir de messagers. Les seuls individus à ne jamais avoir souillé leurs âmes, à ne pas connaître les notions de bien et de mal, à ne pas utiliser la parole pour mentir ou servir leurs mauvais penchants : les jeunes enfants et certains handicapés dont l'altération des fonctions préservait l'âme et la bouche. Les enfants... comme Anna. Les handicapés... comme le prédicateur. Des vérités... comme celle de sa mort liée à un problème venu du cœur.

Il avait rétorqué être sceptique quant à l'existence d'une force supérieure et juste. Linette Marcus avait alors répondu qu'il ne fallait pas forcément l'envisager à travers l'idée de Dieu ou d'un être omniscient. Cette force supérieure pouvait être en nous.

En effet, il était possible de nous considérer tous porteurs de la vérité suprême, c'est-à-dire capables d'une sorte de lucidité apte à nous permettre de comprendre notre existence. Nous possédions tous la capacité d'entendre une voix intérieure nous dire ce qui est bon ou mauvais, juste ou injuste. Cette capacité résidait dans la partie de notre âme encore pure. Mais la plupart des hommes ne pouvaient utiliser cette compétence tant ils s'étaient éloignés d'eux-mêmes. Selon elle, les vrais médiums avaient su la préserver. Tout comme certains enfants ou handicapés mentaux. Eux parvenaient à percevoir la vérité, à entendre les murmures de leur âme. Ils pouvaient donc être désignés comme prophètes car ils détenaient la faculté de nous reconnecter à nos vérités intérieures.

« Oublions toute dimension mystique, avait-elle conclu pour vaincre le scepticisme de Noam, et considérons cette idée selon notre propre expérience : ne vous êtes-vous jamais senti reconnecté à votre humanité face à un enfant ou un handicapé ? N'avez-vous pas alors pensé, ne serait-ce que quelques instants, vous être éloigné de votre voie, des vérités qui vous étaient chères ? Eh bien, ceci est déjà une première manifestation de ce pouvoir de prophétie. »

Les décisions les plus difficiles à prendre sont celles qui vous présentent des voies au bout desquelles vous ne serez plus le même. Je n'ai jamais su choisir. Peut-être parce que l'un des premiers élans de ma volonté m'a conduit à perdre l'être que je chérissais le plus au monde. Mais ce n'était qu'un élan justement, pas une décision. Depuis, je ne suis parvenu à trancher et arbitrer que dans le cadre de mon travail parce qu'il s'agissait d'un jeu de rôle et qu'aucune option ne risquait de remettre en cause mon identité.

Mais, aujourd'hui, je suis face à un choix déterminant : rester confiné dans mes incertitudes ou emprunter le chemin indiqué par Linette Marcus, lequel implique de sacrifier le peu de raison sur lequel je me suis construit.

Je peux me retrancher derrière des idées solides, logiques, pragmatiques et oublier cette rencontre, oublier cette théorie, oublier les paroles de ma nièce. Le puis-je réellement ?

J'ai également la possibilité d'aller plus loin, de tenter de comprendre ce que le message d'Anna signifie. Que je vais mourir ? Que mon cœur va cesser de battre ? Oui, mais quand ? Demain, dans un mois, une année, une décennie ?

Qu'a donc voulu dire Linette Marcus quand elle a proposé « d'explorer cette piste » ? Comment explore-t-on ce genre de piste ?

Je suis là, dans ma chambre, seul, à torturer ces idées, à évaluer les hypothèses, à m'emporter contre ma rigidité intellectuelle puis contre sa trop grande souplesse.

De quoi ai-je peur ? De découvrir que je ne suis pas aussi cartésien que je le pensais ? De perdre mon identité dans cette quête de sens ? Mais je ne sais même pas dire qui je suis réellement. Je tente d'oublier mon passé et refuse de voir l'avenir. Un homme peut-il n'exister qu'au présent ?

Après tout, qu'ai-je à perdre dans ce genre d'aventure ? Mon temps ? Il me file inexorablement entre les doigts. Ma raison ? N'est-elle pas déjà sérieusement affectée par mon incapacité à entreprendre une véritable vie ?

Chapitre 7

Quand Samy l'avait invité à ce barbecue, Noam, au ton de la voix de son ami et à son insistance, avait suspecté un guet-apens. Aussi, en pénétrant dans le jardin des Dubois, n'avait-il pas été surpris de découvrir celle qu'on lui avait présentée comme une amie de Claire, l'épouse de Samy. La jeune femme était jolie et la situation paraissait l'amuser. À la gêne des premiers instants avait succédé le ballet des regards furtifs, inquisiteurs et bienveillants. Aurore l'épiait discrètement, détaillait les traits de son visage, le découvrait avec un intérêt dont la franchise l'embarrassait. Lui, observait les lignes de son profil, son sourire avenant et son regard à la sincérité quasi enfantine.

Ils avaient parlé de la douceur de l'été, de l'intérêt de posséder un jardin lorsqu'on a des enfants et Claire avait expliqué comment, à l'achat de cette maison, elle avait transformé un terrain laissé à l'abandon en lieu où toutes sortes de fleurs laissaient éclater de flamboyantes couleurs sur fond de pelouse verdoyante et d'arbustes aux formes harmonieuses.

— Bon, nous vous laissons un instant, annonça Samy d'un air faussement désinvolte.

Claire, tu t'occupes des entrées, je vais chercher les grillades. Profitez-en pour faire connaissance.

Noam et Aurore s'adressèrent un regard troublé et complice.

— Je suis désolé, s'excusa Noam quand ils se retrouvèrent seuls. Je ne suis pour rien dans ce traquenard.

— Confidence pour confidence, je savais que tu serais là. Enfin, je veux dire qu'un homme me serait présenté.

— Et tu as tout de même accepté l'invitation ?

— Pourquoi aurais-je refusé ? Personne ne me contraint à m'intéresser à toi ! répondit-elle en riant.

Il apprécia sa sincérité et se surprit à admirer la ligne de ses lèvres.

— Où as-tu connu Claire ? interrogea-t-il pour donner un peu d'air à leur échange.

— Lors d'un reportage. Je suis journaliste dans un magazine scientifique. Je l'ai interviewée à l'occasion d'une enquête sur les risques du nucléaire en France. Nous nous sommes découvert des affinités et sommes devenues amies. Et toi, Samy ?

— Nous travaillons ensemble.

Il raconta leur rencontre, la relation qu'ils avaient tissée et qui, lentement, s'était muée en une amitié chère. Puis chacun questionna l'autre sur son métier, s'intéressa à ses réponses jusqu'au moment où Claire et Samy réapparurent avec les plats.

— Tu es mignon avec ce tablier, Samy, ironisa Noam.

— Ouais, bon ben mangeons tant que c'est chaud, répondit celui-ci.

— Noam a raison, je te trouve très sexy comme ça, confirma Claire, en passant ses mains sur les cuisses de son mari.

— C'est pas un peu fini vous deux ! maugréa Samy. Séverine, Gaspard ! À table ! cria-t-il à destination des deux enfants qui s'ébattaient dans la piscine.

— On n'a pas faim ! répondirent-ils en chœur.

— Laisse-les s'amuser, proposa Claire. Ils nous rejoindront tout à l'heure. Je ferai réchauffer leurs assiettes.

— Noam est le parrain de Gaspard, expliqua Samy. Il a également une filleule, Anna, sa nièce. Les enfants l'adorent.

— L'idée que tente de faire passer Samy avec la délicatesse qui le caractérise est que je suis susceptible de devenir un excellent père, plaisanta Noam.

Aurore éclata de rire.

*
* *

Après le déjeuner, Samy entraîna Noam à l'écart. Ils firent quelques pas dans le jardin.

— Alors, que penses-tu de cette fille ? Formidable n'est-ce pas ? Jolie, intelligente, de l'esprit.

— J'ai vu une thérapeute, confia Noam.

— Ce n'est pas une réponse à la question que je posais... mais ça m'intéresse tout de même. Une psy ?

— Une sorte de psy.

— Une sorte de psy ? Tu m'inquiètes. Il est déjà difficile de définir précisément ce qu'est une psy, alors les « sortes » de psy...

— Elle a fait des études de psychologie mais s'est également intéressée à des sciences parallèles.

— Oulala. Je suis de plus en plus inquiet. Fais gaffe, on est psy ou on ne l'est pas. Et quand on ne l'est pas, on n'est pas « une sorte de psy » mais un charlatan.

— Elle m'a été conseillée par quelqu'un de très sûr. Elle m'a tenu des propos étranges.

— Les charlatans tiennent toujours des propos étranges. Que t'a-t-elle dit ?

Noam relata leur échange et évoqua la théorie des enfants prophètes sans cependant trop insister.

— C'est du grand n'importe quoi ! s'insurgea son ami. Ne me dis pas que tu accordes du crédit à ces élucubrations ! Ou alors, tu es encore plus atteint que je ne le redoutais.

— Merci ! Je suis seulement curieux de savoir ce qui se cache derrière ces thèses.

— Ce qui veut dire que tu vas accepter de suivre sa thérapie ?

— Ai-je d'autres solutions ?

— Seulement une bonne petite centaine de solutions plus réalistes et rationnelles. Telles que voir un vrai psy, te marier, cesser de boire et de passer tes nuits à traîner dans les boîtes, te payer l'intégrale de Woody Allen ou postuler à la prochaine émission de *Secret Story* en soumettant ton terrible secret : « Ma nièce m'a annoncé ma mort. » Bref, n'importe quelle option capable de t'amener à éviter de poser les pieds sur ce terrain verglacé. Et quelle thérapie propose-t-elle, ta bonne femme ?

— Je ne sais pas encore. Je dois la revoir. Je veux absolument savoir ce qu'elle a derrière la tête.

— OK, alors vas-y par simple curiosité intellectuelle et, ensuite, change de crémerie.

— Elle est jolie, déclara Noam.

— Mais on s'en fout que ta pseudo-psy soit jolie ! Elle doit juste être compétente, ce dont je doute vraiment.

— Non, je parlais d'Aurore.

Samy vit la jeune femme s'approcher d'eux.

— Tu deviens de plus en plus difficile à suivre Noam, chuchota-t-il.

— Je viens vous dire au revoir, annonça la jeune femme. J'ai un papier à écrire. Désolée, je vous ai dérangés en pleine conversation.

— Non, pas du tout, la rassura Samy. J'étais simplement en train de faire la morale à Noam.

— Tu lui faisais la morale ?

— Oui, j'ai parfois l'impression de passer mon temps à essayer de le raisonner.

— Selon Samy, j'accorde de l'importance à ce qui n'en a pas et ne parviens pas à distinguer ce qui est essentiel pour moi.

— Entre autres défauts... marmonna Samy. Mais je préfère ne pas les révéler aujourd'hui.

— Noam me paraît être plutôt équilibré, ironisa Aurore.

— Si tu avais entendu ce qu'il me disait à l'instant, tu en douterais.

— Ah ? De quoi parliez-vous donc ?

— De théories fumeuses, déclara Samy en balayant l'air de la main.

— Comme ?

Samy adressa une discrète mimique d'excuse à Noam.

— Tiens, j'aimerais justement avoir ton avis de journaliste, donc de femme curieuse, ouverte d'esprit, sur l'un des sujets qui nous opposait : connais-tu la théorie de l'innocence prophétique ? questionna Noam.

— Non, répliqua Aurore, intéressée. De quoi s'agit-il ?

Il expliqua ce qu'il avait appris la veille.

— Intéressant, dit-elle. Je n'avais jamais entendu parler de ça sous ce nom-là. En revanche, un ami m'a raconté que, dans la tradition hébraïque, on accorde beaucoup de crédit aux propos des enfants. On dit qu'autrefois certains mystiques les interrogeaient à la sortie des écoles talmudiques. Ils leur demandaient quel sujet ou quel passage de la Torah ils avaient étudié. Ils tentaient de trouver une réponse à leurs interrogations dans le texte que les gamins citaient. Un peu à la manière dont les Grecs consultaient les oracles. Ça semble assez proche de cette prophétie des innocents, non ?

— C'est vrai, répondit Noam, pensif, c'est la même idée : Dieu utiliserait la bouche d'êtres innocents pour délivrer ses messages.

— Et où as-tu entendu évoquer cette théorie ? interrogea Aurore.

— Oh ! c'est une longue histoire, coupa Samy, inquiet de ce que penserait Aurore si

Noam révélait la vérité. Il te la racontera quand vous vous reverrez.

*

*   *

— Et pourquoi Dieu choisirait-il soudain de me parler ?

Assis devant Linette Marcus, Noam l'avait interpellée avec une pointe d'agressivité. Il ressentait sa propre présence dans ce bureau comme une capitulation, l'aveu d'une faiblesse. Sa raison n'avait pas su opposer suffisamment d'arguments à ses doutes, à son désir d'en savoir plus. Aussi avait-il justifié son irrépressible besoin de l'appeler, de la revoir, en lui donnant la patine d'une banale curiosité intellectuelle. Mais, la vérité, il en était convaincu, s'avérait tout autre : Linette Marcus seule lui proposait une explication, une issue, fût-elle loufoque.

— Pas obligatoirement Dieu, répondit avec calme la psychothérapeute. Je vous l'ai dit, il peut s'agir d'une force supérieure. Pas nécessairement une entité toute-puissante, omnisciente, mais peut-être simplement votre propre conscience, une partie profonde de votre âme.

— Mon âme ?

— Oui, j'ai commencé à vous l'expliquer lors de notre première rencontre : selon une approche mystique, votre âme recèle toutes les vérités. Elle les a apprises avant votre naissance puis, lors de votre venue au monde, les a oubliées. Votre mission est donc de les retrouver, de parfaire vos connaissances pour renouer, de votre vivant, avec l'état de plénitude où votre âme baignait dans l'autre monde. Mais, de temps en temps, parce que vous déviez de votre chemin par exemple, elle envoie des messages afin de vous remettre sur le droit chemin.

— Écoutez, je crois que je perds mon temps et vous fais perdre le vôtre. Je vais être sincère : tout ce que vous avancez me semble... ridicule. Enfin, disons plutôt irrationnel. Je n'y crois pas un instant.

— Vous ne *voulez* pas y croire. Vous essayez de faire taire la voix en vous qui pousse à envisager la possibilité d'une explication... irrationnelle, comme vous dites.

Elle avait raison. La rencontre avec Linette Marcus avait suscité un conflit intérieur entre son esprit et son cœur, sa raison et ses sentiments.

— Bon, d'accord, continuons d'envisager votre théorie. Dans l'hypothèse où ce serait Dieu – ou une force s'apparentant à un être supérieur – qui s'adresserait à moi, voire la partie de mon âme restée pure, pourquoi cela m'arriverait-il maintenant ?

— Je vous l'ai dit : pour vous montrer la voie à prendre afin de vous réaliser. En fait, la connexion entre nous et cet autre monde est établie dès la naissance. Ensuite, chacun accepte ou pas de l'utiliser pour établir une communication. Celle-ci peut prendre plusieurs formes : des signes nous sont envoyés, des épreuves également ou des messages plus clairs portés par des sortes de prophètes. Si nous acceptons cette éventualité, vous n'êtes en rien un privilégié, juste l'un de ceux ayant clairement perçu le message adressé.

— Mais les asiles sont plein de gens persuadés que Dieu s'adresse à eux où qu'une voix intérieure les guide. Plein de schizophrènes, d'hommes et de femmes embarqués dans un délire paranoïaque.

— C'est vrai. Mais il s'agit d'états de délire, de personnes ayant perdu la capacité de raisonner.

— J'ai parfois l'impression d'être de celles-là, murmura Noam. Alors, quelle est la piste que vous souhaitiez explorer ?

— Celle que vous a indiquée votre nièce.

— Ma nièce ? Mais elle n'a prononcé qu'une phrase. Si votre idée est de l'interroger, de l'amener à révéler d'autres vérités, je préfère tout de suite laisser tomber.

— Il ne s'agit pas de votre nièce en tant que telle. Anna a délivré un message. Celui-ci a pour objectif de déclencher une recherche, une quête de sens.

— Vous croyez donc que ce qu'elle a dit est vrai ? Je vais mourir d'une crise cardiaque ?

— Peut-être.

— Mais c'est horrible, se révolta Noam. Selon quelle logique une enfant annoncerait-elle à son oncle sa mort prochaine ?

— Qui prétend que cette mort est imminente ? Vous l'avez interprétée ainsi mais elle n'a rien dit sur la date de votre décès. Et peut-être s'agit-il d'une parabole. Cette... sentence doit sans doute s'envisager différemment. Les paroles des prophètes étaient parfois empreintes d'images, d'un sens caché.

— Et c'est ce sens que je dois découvrir ?

— Je le pense. En fait, vous devez vous poser une question : quelle vérité aimerais-je découvrir au terme d'une quête dans laquelle je serais prêt à me lancer ?

Noam, abasourdi par la portée du propos, baissa sa garde… et réfléchit à la question. La réponse lui parut évidente.

— J'aimerais connaître la date de ma mort.

Linette Marcus hocha gravement la tête.

Et Noam comprit qu'il avait, désormais, épousé la logique de la frêle femme. Ses défenses étaient rapidement tombées et il se trouvait maintenant sous l'emprise du questionnement qu'elle proposait.

— Tous les hommes désirent élucider le plus ultime des mystères : quelle est la date de ma mort ? Ou, plutôt, tous essaient d'oublier que la réponse existe et se satisfont de savoir qu'elle leur est interdite.

— Si j'accepte de considérer les propos d'Anna comme une prophétie, je sais déjà que je mourrais d'un problème de cœur. Si cela m'arrive à l'âge de quatre-vingts ans… pourquoi pas ! Mais si la date de ma mort est proche…

— Seriez-vous prêt à assumer les conséquences d'une telle vérité si elle vous était révélée ?

— Je ne sais pas, bredouilla Noam, songeur et effrayé. En tout cas, je ne peux continuer à vivre avec cette angoisse. Sentir ma propre mort me menacer sans cesse est, pour ainsi dire… invivable.

— Imaginons que vous appreniez que vous mourrez dans un mois…

— Je me retrouverais alors dans la même situation que les personnes atteintes d'un mal incurable. Je tenterais sans doute de profiter au maximum de mes derniers jours. Et, paradoxalement, libéré, je vivrais pleinement chaque instant.

— Et si vous appreniez qu'il vous reste plus de quarante années à vivre ?

— Je me sentirais soulagé de pouvoir jouir d'autant d'années de vie exemptes de l'angoisse suprême.

— La réponse est donc essentielle à votre équilibre ?

— En effet. Alors, quelle solution me proposez-vous ?

Linette Marcus se tut. Son visage devint grave.

— Êtes-vous réellement prêt à entreprendre la quête de cette vérité, Noam ? interrogea-t-elle, solennelle.

— Oui, je le crois.

— Il ne suffit pas de le croire. Il faut que vous en soyez certain. Car cette recherche peut se révéler difficile.

— Arrêtez ! J'ai l'impression d'être au cœur d'un film de science-fiction.

— Je suis sérieuse, Noam. Êtes-vous prêt à assumer les conséquences de ce que vous apprendrez ?

— Comment répondre ? La seule chose dont je suis certain, c'est que je ne peux plus reculer et souhaite me lancer sur cette piste.

— C'est tout ce que je voulais entendre.

— Très bien. Alors, où commence cette recherche ?

— En Israël.

— En Israël ?

— À Jérusalem, précisément.

— Pourquoi là-bas ?

— Parce qu'une enfant prophète vous y attend.

*
* *

— Je ne sais pas si nous aurions dû... bredouilla le docteur Laurens.

La voix hésitante de l'éminente psychiatre étonna Linette Marcus.

— Vous avez des doutes maintenant ? demanda cette dernière.

Elle perçut le souffle de son aînée à l'autre bout de la ligne, l'imagina remuer ses souvenirs, évaluer ses propres théories, soupeser ses pensées.

— Je l'ai trouvé si... vulnérable, finit-elle par avouer.

— Nous avons fait une erreur et il nous faut la réparer. Il en va de son avenir.

— Pourquoi ce « nous » ? s'exclama Aretha. Si quelqu'un a commis une erreur, Linette, c'est moi. À moins que vous m'ayez caché quelque chose ?

Cette dernière ne répondit pas et poursuivit :

— Nous saurons bientôt si Noam a la capacité de trouver la vérité après laquelle il court depuis longtemps.

— Mais faire appel à cette... enfant prophète me paraît bien hasardeux, finit par avouer le docteur Laurens.

— Vous étiez pourtant d'accord.

154

— J'étais d'accord sur l'approche. Je m'interroge dorénavant sur la méthode. Son équilibre mental est actuellement fragile. La découverte de la vérité est essentielle mais je ne sais pas s'il tiendra jusqu'au bout.

— C'est un risque que nous devons prendre.

— Peut-être, soupira l'autre.

— Faites-moi confiance, docteur.

— De toute façon, les dés sont jetés. Tenez-moi au courant.

Après avoir raccroché, Linette Marcus demeura un moment pensive. Elle avait conscience de jouer une des plus importantes parties de sa carrière.

Sans doute même jouait-elle le sens de sa propre existence.

*
* *

Samy pestait en arpentant le bureau.

— Alors, tu vas écouter les élucubrations de cette illuminée et partir en Israël parce qu'elle prétend que tu y trouveras une réponse à ton satané malaise ?

— Je serai absent seulement trois jours.

— Mais pourquoi aller jusqu'en Israël rencontrer une thérapeute ? N'y en a-t-il pas suffisamment en France ? T'es-tu renseigné à son sujet ? Est-elle connue ?

Noam avait jugé prudent de ne pas révéler qu'il partait rencontrer une sorte de prophétesse. Il l'aurait inquiété inutilement et aurait dû justifier son voyage avec plus d'âpreté encore. Il avait juste expliqué qu'il partait pour consulter une spécialiste renommée.

— Oui, ne te fais pas de souci.

— Bon... si c'est pour ton bien, finit par lâcher Samy.

Depuis son dernier entretien avec Linette Marcus, l'idée de cette rencontre avec une enfant prophète obsédait Noam. Il y pensait sans cesse, parfois avec appréhension, toujours avec curiosité. Avec gêne également, tant la démarche lui paraissait folle et contraire à ses principes. Mais quand aucun argument ne lui semblait suffisamment vaillant pour justifier sa décision, il se retranchait derrière une logique minimaliste : « Je n'ai rien à perdre à tenter d'entreprendre cette piste. Et si je n'y allais pas, le regret me hanterait. »

Il avait donc réservé son vol.

— Je vois Aurore ce soir, annonça-t-il.

Le propos eut l'effet escompté. Le visage de Samy s'éclaira et il s'assit en face de lui.

— Super ! Quand l'as-tu appelée ?

— C'est elle qui m'a téléphoné. Claire lui a donné mon numéro et elle m'a invité au restaurant.

Aurore l'avait contacté le lendemain de leur rencontre. La démarche avait surpris Noam, mais la spontanéité de la journaliste et son naturel avaient donné à l'invitation une tonalité amicale qui avait emporté sa décision.

— Ma foi, les femmes sont devenues entreprenantes.

— Je n'ai pas osé refuser, avoua Noam.

— Et pourquoi aurais-tu refusé ? Elle ne te plaît pas ?

— Non, ce n'est pas ça. Je suis simplement préoccupé par d'autres choses et pas prêt pour une nouvelle histoire.

— Elle a dû comprendre que si elle attendait que tu sois suffisamment disponible pour faire le premier pas, elle risquait de dépérir devant son téléphone.

— Ou alors, quelqu'un le lui a expliqué.

— Tu penses à Claire ? Peut-être. Mais attention, j'espère que tes intentions sont louables. Aurore est une fille bien. Pas du genre de celles avec lesquelles tu as l'habitude de passer tes nuits.

— Ce que tu peux te montrer sectaire, Samy !

— Ce que je sais, c'est que cette vie dissolue ne te vaut rien et qu'Aurore mérite d'être bien traitée.

— Je suis d'accord.

— Alors, saisis ta chance, Noam.

*
* *

Noam était arrivé en avance. Il s'était installé et, en attendant Aurore, sirotait un verre de scotch tout en laissant son regard se promener dans la salle presque comble du restaurant à la mode. Il n'éprouvait pas l'excitation qu'un premier rendez-vous aurait dû susciter en lui. Pire, ici il se sentait seul et perdu, obnubilé par le tourment de ses questions, genre fantôme errant parmi les vivants. L'agitation environnante ne le concernait pas. Il observait les clients, leurs gestes, leurs mimiques, leurs sourires, leurs jeux de rôle.

— Bonsoir !

Aurore se tenait devant lui, souriante, conquérante. Elle s'était apprêtée. Sa robe et son maquillage lumineux exprimaient la tonalité qu'elle souhaitait donner à leur rendez-vous.

Noam se leva, l'embrassa.

— Désolé, je ne t'avais pas vue entrer.

— Tu avais l'air si sombre, presque contrarié.

Aurore s'assit et le dévisagea en silence.

— Mon appel t'a étonné ? demanda-t-elle.

— Non. Enfin... un peu.

— Tu ne m'aurais pas contactée, n'est-ce pas ? Non, ne me réponds pas, je ne veux pas t'embarrasser. En fait, je n'aime pas laisser les conventions prendre le pas sur mes désirs. Je souhaite mieux te connaître, alors il m'a paru naturel de te proposer cette sortie.

— Tu as bien fait, la rassura Noam.

Ils passèrent commande et Noam questionna Aurore sur ses récentes enquêtes. Elle en parla avec passion, raconta certaines anecdotes, expliqua des théories avec suffisamment de pédagogie pour les rendre compréhensibles. Lui tenta de s'inscrire dans l'instant, de se sentir concerné par les propos de sa jolie interlocutrice, mais son esprit refusait toute concentration. Au bout d'un moment Aurore s'en aperçut.

— Ce que je dis ne t'intéresse pas, finit-elle par déclarer sans agressivité. Je suis désolée, j'aime mon métier et j'ai tendance à penser que tout le monde peut partager ma passion.

— Pas du tout ! C'est passionnant.

— Ne jouons pas la comédie, Noam. Nous ne sommes pas des gamins mais des adultes responsables. Je sais reconnaître une personne attentive de celle qui s'ennuie.

La franchise d'Aurore força son respect et le conduisit à être sincère à son tour.

— Je ne m'ennuie pas, expliqua Noam, je suis préoccupé par des idées impossibles à chasser de mon esprit. Désolé.

— Quel genre d'idées ? s'enquit-elle.

L'attention que lui portait Aurore, autant que sa propre muflerie, l'incitèrent à se confier. Partager ses questions lui permettrait de lui manifester la considération qu'il éprouvait.

— Le genre d'idées que nous avons rapidement évoquées chez Samy et Claire.

Elle réfléchit.

— Ah, cette théorie de l'innocence prophétique ?

— Oui. Enfin, pas seulement.

— Alors, je suis tout ouïe, s'exclama-t-elle. Ces sujets m'excitent particulièrement.

— Tiens, je croyais que les scientifiques considéraient ces théories avec mépris.

— Détrompe-toi. Ils les considèrent avec l'intérêt scientifique qui les caractérise. D'ailleurs, certaines recherches envisagent parfois des idées saugrenues sous formes d'hypothèses. De plus, je te rappelle que je ne suis pas scientifique mais journaliste, donc, comme tu l'as déjà dit, curieuse par nature.

Pour expliquer ce qui l'avait amené à rencontrer celle qui lui avait parlé de la prophétie des innocents, Noam se résolut à relater le curieux présage d'Anna. Il prit d'abord un ton détaché, feignant de ne pas accorder trop d'importance à l'événement, mais, à la façon dont Aurore l'écoutait, il comprit qu'elle ne le jugerait pas. Cette attitude incita Noam à évoquer ses crises d'angoisse, son obsession de la mort, la proposition de sa thérapeute de se rendre à Jérusalem rencontrer l'enfant prophète.

— Passionnant, conclut Aurore.

— Vraiment ? J'ai l'impression parfois d'être un fou en quête d'une vérité impossible à saisir, prêt à croire aux balivernes de gens encore plus barrés que moi.

— C'est une hypothèse, asséna-t-elle, souriante. La plus simple des hypothèses est celle à laquelle un être normalement équilibré préférerait s'arrêter afin d'éviter de plonger dans un malaise existentiel. Mais pas celle à laquelle cède une journaliste comme moi. Tes questions sont essentielles et les voies que tu vas emprunter mystérieuses.

— Que ferais-tu à ma place ? Irais-tu au bout de cette... aventure ?

— Oui. Je suis incapable de faire les choses à moitié. Je me rendrais en Israël pour en avoir le cœur net.

Elle prit le temps de réfléchir puis continua :

— Oui, c'est sans doute ce que je déciderais. Mais, une chose m'ennuie dans ton histoire.

— Laquelle ?

— Tu vois, si j'avais à entreprendre une enquête sur le sujet, je l'aborderais froidement, avec le sens critique qui doit prévaloir dans toute investigation. Or, ce n'est apparemment pas dans cet état d'esprit que tu t'apprêtes à te lancer dans l'aventure. Tu investis trop de choses dans cette quête. Des choses très intimes, liées à ton vécu sans doute, et qui, selon moi, te fragilisent.

— Peut-être. En fait, ma position est ambiguë. Je reste sceptique sur la démarche et ce qu'elle pourrait me révéler mais je me sens incapable de renoncer.

— Quand est prévu ton départ pour Israël ?

— La semaine prochaine. Lundi.

— Un voyage excitant, plein de mystères... J'aurais aimé t'accompagner, mais je ne suis en vacances que dans une dizaine de jours. Et, de toute façon, rien ne dit que tu aurais accepté.

— J'aurais refusé, avoua Noam. Ce voyage, je dois le faire seul afin d'être face à mes doutes, mes peurs, ma bêtise aussi.

— Je comprends. Un de mes amis est guide à Jérusalem. C'est lui qui m'a parlé de la tradition consistant à consulter des enfants à la sortie de leur école. Quand je l'ai connu, il enseignait l'histoire des religions à la Sorbonne. Ayant longtemps travaillé sur la Ville sainte, il a fini par aller y vivre. Il donne quelques cours à l'université de Jérusalem mais préfère partager sa passion avec les touristes désireux de connaître l'histoire de la ville. Il pourrait t'accompagner dans ton petit périple et, sans doute, t'apporter un éclairage sur cette théorie.

Noam accepta l'offre. Aurore lui inscrivit les coordonnées d'Avi Tanuggi sur un bout de papier.

— Je vais le contacter et lui demander s'il est libre, annonça-t-elle.

Lorsqu'ils quittèrent le restaurant, Noam proposa à Aurore de la raccompagner. Durant le trajet, elle lui expliqua sa prochaine enquête.

Arrivés au pied de son immeuble, elle se tourna vers lui, souriante.

— Bon, si je te propose de monter boire un verre, croiras-tu que je t'invite à passer la nuit avec moi ?

— Sans l'ombre d'un doute, répondit-il en riant afin de masquer son embarras. C'est pourquoi je préfère que tu ne me le proposes pas.

— Ah... soupira-t-elle, je ne te plais donc pas.

— Au contraire. Je pense simplement que ce que tu appelles ma fragilité émotionnelle m'interdit d'engager une relation avec une fille aussi épatante que toi.

— Oh, joli ! Je n'ai jamais pris une aussi belle veste, s'exclama-t-elle.

— Je ne pense pas que tu aies dû en prendre beaucoup.

— Détrompe-toi. Les femmes entreprenantes font peur aux hommes.

— C'est de moi dont j'ai peur, pas de toi.

— Très diplomate, apprécia-t-elle. Bon, laissons tomber le dossier sentimental et concentrons-nous sur celui mystico-existentiel : je te tiens au courant au sujet de mon ami guide et toi, tu m'appelles au retour d'Israël pour me raconter. On statue là-dessus ?

Aurore tendit la main pour lui proposer de toper.

— C'est d'accord, s'amusa Noam, en saisissant sa paume et en la gardant dans la sienne.

— Restitue tout de suite ma main ou je rouvre le premier dossier.

Chapitre 8

Avi se montrait un guide érudit et passionnant. Amoureux du pays, il était animé d'un feu particulier lorsqu'il contait l'histoire des pierres et des hommes. Il choisissait ses mots et ses intonations avec intelligence, paraissant à chaque instant relever un défi essentiel à son bonheur : retrouver dans les yeux de son client l'étonnement, l'intérêt, la passion qu'il avait lui-même éprouvée en découvrant ces histoires pour la première fois.

Jérusalem échappait à tous les clichés entretenus par l'inconscient collectif et forgés par les médias ou les romans. La ville n'était pas ce territoire en proie aux antagonismes religieux, ni cette cité auréolée d'une grâce divine. Elle imposait immédiatement à ses visiteurs sa majesté, héritée certes de son histoire et des convoitises qu'elle suscitait – comment oublier que le monde entier avait les yeux tournés vers ce lieu ? – mais également portée par les hommes et femmes qui l'habitaient ou la traversaient et dont les âmes semblaient liées à ses pierres.

*
*   *

À son arrivée, Noam était descendu à l'hôtel Mamila, l'un des plus prestigieux établissements de la cité. Il avait aussitôt téléphoné à l'Institut Weizenberg où vivait Sarah.

« Sarah est autiste et possède des… dons particuliers, avait confié Linette Marcus. Normalement, elle ne reçoit plus. Les autorités rabbiniques ont interdit les consultations. Elles les considéraient comme de la divination, pratique prohibée par la religion juive. Mais le directeur, monsieur Portman, est un ami. Je l'ai prévenu : il vous recevra et vous présentera Sarah. Vous n'aurez droit qu'à une rencontre. »

Noam avait donc confirmé à Ilan Portman sa venue et était convenu d'un rendez-vous pour le lendemain après-midi. Vingt-quatre heures le séparaient de sa rencontre avec l'enfant prophète.

*
* *

Avi Tanuggi, joint la veille du départ pour la Terre sainte, lui avait proposé de passer le chercher le soir de son arrivée pour une visite nocturne.

« L'âme de Jérusalem se révèle à la tombée de la nuit et au lever du soleil », avait-il confié.

Quand le guide se gara devant l'hôtel, il n'avait pas paru gêné de glisser son vieux 4 × 4 entre les luxueux véhicules dont les voituriers prenaient soin. Avi était un petit homme à la chevelure hirsute, un peu rond, qui alternait des phases d'extrême excitation durant lesquelles ses bras balayaient l'air, et d'autres de calme absolu. Son doux regard recelait l'éclat d'une intelligence vive et d'une aménité particulière. Habillé d'un jean, d'un vieux tee-shirt et d'une paire de baskets Adidas dont l'âge lui aurait valu d'être présentée comme collector dans les revues spécialisées, il s'était hâté de rejoindre Noam, lui avait chaleureusement serré la main avant de lui enjoindre de se dépêcher.

« Allez, vite ! Nous ne pouvons pas manquer le coucher du soleil sur la vieille ville ! »

Préoccupé par la nécessité d'arriver à temps au mont des Oliviers, le guide avait peu parlé durant le trajet. Il avait pesté contre des automobilistes trop lents – des touristes selon lui –, cherché à emprunter des routes moins fréquentées, s'était maudit de ses choix puis avait crié victoire en garant sa voiture sur un petit talus.

« Venez, j'ai un coin à moi. Nous serons tranquilles. Le soleil commence à décliner. »

Et Noam s'était avancé sur le promontoire de terre. Là, il découvrit un fabuleux panorama. Face à eux, la vieille ville étalait sa magnificence : les murailles, les maisons en pierre, la cité de David, le dôme d'or de la mosquée Al-Aksa composaient un tableau dont les formes, les couleurs et la lumière défiaient l'imagination, troublaient la raison. C'était comme si toutes les âmes qui avaient vécu dans cette cité et toutes celles qui l'avaient espérée nimbaient les lieux d'une incroyable mélancolie et défiaient le visiteur, lui imposant de réaliser sa chance d'être là, libre de pouvoir la contempler, libre de pouvoir l'aimer, libre de pouvoir déceler le souffle de son Dieu, le croire unique, partagé, pacifiste ou guerrier.

Tandis que le soleil lentement se couchait et que la lune proposait avec humilité ses lueurs, tandis que le feu quittait les toits et les lumières éclairaient petit à petit les rues et les maisons, le regard d'Avi courait frénétiquement de la vieille ville au visage de Noam, se réjouissant de le voir s'extasier.

— Magnifique, n'est-ce pas ?

— Je croyais que le métier de guide consistait à donner à ses clients des explications sur ce qu'ils découvrent ? plaisanta Noam. Or, voici quinze minutes que nous sommes là et vous n'avez rien dit.

— Il y a un temps pour ressentir, un autre pour commenter. Pensez à tous ceux qui sont arrivés ici et ont découvert le joyau de la Terre promise. Pensez aux juifs que l'on a exilés et qui se sont retournés les yeux pleins de larmes pour lui dire leur amour. Pensez à Alexandre le Grand, aux Romains, aux croisés. Pensez à Jésus qui, peut-être, se trouvait là, à cet endroit, se préparant à faire son entrée et demandant qu'on aille lui chercher un âne. Aucune autre cité au monde n'a été tant convoitée, tant aimée que celle-ci. »

Avi commença alors à raconter la ville à travers l'histoire des trois religions qui l'habitaient. Avec force détails et anecdotes, il donnait du relief aux événements, faisait parler les personnages comme s'il les avait personnellement connus.

*
* *

Quand ils quittèrent le mont des Oliviers, Avi conduisit Noam au cœur de la vieille ville. Chaque pierre avait son histoire, lointaine ou plus récente, avérée ou fantasmée par les hommes. « C'est là que Jésus chuta pour la première fois sous le poids de sa croix », « C'est à cet endroit que les Tables de la Loi étaient conservées », « C'est ici qu'est mort le premier soldat israélien lors de la guerre de 67 ».

La nuit était tombée lorsque le guide proposa de s'arrêter dans un restaurant pour dîner.

— Fais-moi connaître la cuisine israélienne, demanda Noam.

— Il n'y a pas une cuisine mais des cuisines israéliennes. Les Israéliens sont les inventeurs de la *world food*. Ils sont venus de tous les pays du monde et ont apporté leurs traditions. Entrons dans ce petit restaurant, ils préparent un ensemble de plats de diverses origines.

Avi s'adressa au patron et, en quelques minutes, leur table fut recouverte d'un nombre incroyable de petites assiettes aux couleurs et odeurs différentes qu'ils dégustèrent accompagnés de pita, un pain plat et blanc.

— Aurore m'a dit que tu avais un rendez-vous important, questionna Avi la bouche pleine. Tu es venu pour les affaires ?

— Pas du tout. J'ai rendez-vous demain soir à l'Institut Weizenberg.

— L'Institut des enfants autistes ? Tu es médecin ? Chercheur ?

Noam hésita à en dire plus, mais il se résolut à confier l'objet de sa visite. Après tout, comme l'avait suggéré leur amie, Avi avait peut-être son avis sur le sujet.

— En fait, j'ai rendez-vous avec une... enfant prophète.

Le guide cessa soudain de mâcher, posa sa fourchette et lança un regard incrédule à son client.

— Mais... il n'y a plus d'enfant prophète. Enfin, je veux dire... les visites de ces enfants à des fins de conseil ou de divination sont interdites.

— Je le sais. Mais une psy m'a obtenu un rendez-vous.

Avi hocha la tête, pensif.

— Que peux-tu me dire à ce sujet ? questionna Noam.

— Ce que je sais ou ce à quoi je crois ?

— Les deux.

— Ce que je sais tout d'abord. L'idée d'une prophétie confiée aux enfants et aux handicapés mentaux est inscrite dans la Torah. Mais elle a récemment resurgi dans l'actualité grâce à une méthode présumée aider les autistes à s'exprimer.

— La communication facilitée. J'ai trouvé des renseignements sur Internet.

— En effet. Comme tu dois donc le savoir, la communication facilitée a été initiée dans les années 1980 par une enseignante australienne et s'est rapidement développée aux États-Unis et en Europe. Les précurseurs de cette méthode partaient du principe que l'absence de communication chez certains handicapés mentaux pouvait résulter d'une inaptitude fonctionnelle. En d'autres termes, il pouvait y avoir parmi eux des êtres dotés d'une pensée structurée mais qu'ils étaient incapables d'exprimer à cause de leurs troubles. Les tenants de cette théorie ont émis l'hypothèse qu'il était possible de les sortir de leur enfermement en utilisant l'ordinateur. Ils ont entamé des essais et ont crié victoire. Cela a fait l'effet d'une bombe lâchée sur le pré carré des psys. Et un immense espoir est né chez les parents de ces enfants.

— La méthode consistait à faire intervenir une tierce personne pour permettre aux autistes de composer des messages, n'est-ce pas ?

— Exact. Une personne, appelée le facilitant, se met à la disposition du handicapé et tient ses mains au-dessus d'un clavier. La relation qu'ils établissent permet au premier de guider les doigts de celui qui est atteint de troubles mentaux vers les touches du clavier sur lesquelles celui-ci souhaite les poser et, lettre après lettre, mot après mot, de composer un message. Enfin, résumé rapidement, c'est à peu près comme cela que ça se passe.

— Comment sais-tu tout ça ?

— Parce qu'à l'époque, j'ai lu ce livre magnifique, *Une Âme prisonnière*, écrit par un jeune autiste allemand, Birger Sellin. Il n'avait jamais appris à lire ou à écrire mais, d'une manière assez invraisemblable, grâce à cette méthode, il était parvenu à expliquer son monde intérieur, sa douleur, son amour pour les siens.

— Oui, bien sûr ! s'exclama Noam. J'en ai entendu parler. C'était dans les années 1990. J'ai même vu un reportage sur cet auteur...

Noam se souvint des images poignantes qui montraient le jeune autiste tapant lentement sur son clavier, racontant à la fois ses émotions et le poids que représentait son handicap pour les siens. Il leur disait également à quel point il les aimait. Noam, ancien enfant silencieux, avait été particulièrement bouleversé.

— ... Mais je ne me suis jamais senti suffisamment fort pour le lire, poursuivit-il.

— Tu peux comprendre que cette méthode a provoqué autant d'enthousiasme que de critiques. Elle remettait en cause les approches psychologiques et neuropsychologiques qui présentaient les autistes et certains handicapés mentaux comme des êtres à l'intelligence affectée. Ceux que certains considéraient comme des débiles profonds se mettaient tout à coup à parler, à dévoiler leurs sentiments, à raconter leur mal. Des autistes ont même révélé des aptitudes exceptionnelles en matière d'apprentissage, de compréhension, d'analyse. Des scientifiques ont alors expliqué qu'ils avaient pu développer ces incroyables capacités précisément à cause de leur état d'enfermement. Ils avaient enregistré et assimilé tout ce qu'ils avaient entendu.

— Plausible, dit Noam.

— Oui, plausible, en effet.

— Et terriblement réconfortant pour les familles.

— Quand ça marchait, précisa Avi. Car beaucoup d'entre elles se sont jetées à corps perdu dans l'aventure afin de nouer une relation avec leurs enfants mais toutes n'y sont pas parvenues. Et la méthode, en plein essor, a continué à progresser. Jusqu'au jour où son utilisation a dépassé le cadre purement scientifique.

— C'est-à-dire ?

— Eh bien, certains autistes se sont mis à exprimer un savoir que leur environnement ne pouvait leur avoir permis d'acquérir. Par exemple, certains connaissaient des langues qu'ils n'avaient jamais entendues.

— Là, on est en plein scénario fantastique.

— Et tu ne sais pas tout. Des chercheurs israéliens ont recouru à cette méthode pour faire parler des autistes juifs. Et quelques-uns ont révélé un savoir absolument incroyable de la Torah et de ses secrets. Une science équivalente à celle des grands érudits.

— Aberrant.

— Pas pour les religieux car, selon la Torah, les handicapés mentaux sont des âmes pures venues sur terre pour réparer une dernière faute avant de connaître les félicités de l'autre monde ou aider leurs proches à réparer les leurs.

— Explique-moi.

— D'après la Torah, les hommes sont sur terre pour se réaliser, c'est-à-dire pour révéler dans ce monde la part d'étincelle divine qu'ils possèdent et qui constitue l'essentiel de leur âme. Ils peuvent y parvenir en menant une vie exemplaire et, dès lors, quand ils mourront, leur étincelle divine rejoindra sa source, Dieu lui-même. Et leur âme connaîtra une sorte d'extase suprême. S'ils commettent des erreurs les empêchant d'accomplir ce dessein, leurs âmes reviennent sur terre et affrontent des épreuves qui les conduiront à racheter leurs égarements.

— Et les handicapés mentaux seraient, en quelque sorte, en phase finale de réparation ?

— Certains. D'autres sont déjà des âmes pures. Mais ils reviennent sur terre pour sauver leurs proches. Leur handicap est considéré comme une épreuve. Mais c'est en fait une chance qui leur est donnée de s'éveiller et de retrouver le chemin de la vérité. Ces handicapés ont donc toutes les connaissances en tête parce que leur esprit est connecté à la source divine.

Avi guetta le visage de son client et se réjouit d'y voir apparaître l'expression d'un étonnement singulier.

— D'ailleurs, un autre livre a défrayé la chronique : *Le Livre d'Annaëlle*. Annaëlle Chimoni, une enfant autiste, emmurée dans le silence durant de nombreuses années, y raconte, par le biais de la communication facilitée, les raisons de son handicap et sa volonté d'aider les siens à se rapprocher de Dieu, à accomplir leur destinée.

— Permets-moi d'être sceptique, interrompit Noam.

Avi haussa les épaules.

— Quoi, Avi ? Tu y crois ?

— Second volet : ce que je crois. Car nous pouvons, en effet, ramener le sujet à celui de la croyance. Suis-je croyant ? Oui. Je crois en une force supérieure. Cette force, je la sens chaque jour courir dans les rues de cette ville. Est-ce que cette force s'appelle Dieu ? Je ne sais pas. Mais, au-delà de la croyance, il y a la nécessité pour tout être intellectuellement curieux de se poser la question de la validité d'une telle hypothèse. Pour paraphraser Descartes : je suis un être intellectuellement curieux donc je cherche à comprendre ; je cherche à comprendre, donc je doute.

Je doute... heu, donc je crois, ne serait-ce que partiellement, que tout ne peut se résumer aux seules théories scientifiques qui n'ont, à ce jour, expliqué qu'une infime partie du fonctionnement de notre monde. Bref, c'est que ce n'est pas parce que cela dépasse mon entendement que je dois tout rejeter en bloc. Après tout, avant Galilée, il était également aberrant de penser que la terre tournait autour du soleil.

— Ça, c'est de la rhétorique.

— Peut-être. Mais toi, que fais-tu ici si tu te poses en rationaliste invétéré ? Tu es venu chercher des réponses auprès d'une enfant prophète, n'est-ce pas ?

Noam se sentit pris en défaut et balaya l'air de sa main.

— Disons qu'un enchaînement d'événements m'a conduit à vouloir suivre une piste, marmonna-t-il. Tout est parti d'une psychologue en qui j'ai entièrement confiance et...

— Une psychologue ? l'interrompit Avi, narquois. La psychologie était considérée comme une fumisterie il n'y a pas si longtemps.

— Bon, OK, continue. Parle-moi de ces nouveaux prophètes.

— Quand on a révélé les capacités surnaturelles de certains enfants, de nombreuses personnes, croyantes ou simplement superstitieuses, sont allées les consulter tout comme, auparavant, elles allaient consulter des kabbalistes, ou même des voyantes. Ces enfants recevaient, conseillaient, éclairaient leurs visiteurs sur les voies à emprunter pour trouver un nouvel équilibre, renouer avec leur foi, réussir leur vie, faire les bons choix. Mais deux mouvements d'opposition se sont alors fait entendre.

— Les psys ?

— Oui. Enfin, les scientifiques d'une manière générale. Ils ont réalisé des expériences qui, selon eux, prouvaient que ce n'était pas les autistes qui s'exprimaient mais les facilitants et que les prétendues connaissances exceptionnelles des personnes atteintes de troubles mentaux appartenaient, en fait, à ceux qui tenaient leurs mains.

— Dur revers pour les défenseurs de la méthode.

— Bien entendu, ils se sont défendus et ont contesté la validité de ces expériences. Mais le mouvement a tout de même été assez atteint. La seconde forme d'opposition, ici, en Israël, est venue de certains rabbins. Eux ne contestaient pas la méthode mais l'exploitation faite des connaissances des autistes en arguant que la Torah interdisait la dévotion avec laquelle les visiteurs les traitaient tout comme elle interdisait toute forme de divination. Les expériences ont été stoppées et les consultations interdites.

— Et la communication facilitée a disparu ?

— Non, mais elle n'a plus le vent en poupe. Elle continue à être pratiquée et des associations militent toujours en faveur de sa reconnaissance. À l'Institut Weizenberg, on l'utilise afin de communiquer avec les autistes mais ceux-ci ne reçoivent plus de visiteurs. Et, selon moi, ce n'est pas plus mal car l'instrumentalisation de ces enfants était assez choquante. Bref, tu es un privilégié.

— Un privilégié ? Je me fais surtout l'impression d'être un peu fou pour espérer quoi que ce soit de cette entrevue.

— Tu suis ta voie. Allez, mange. Tu n'as fait que m'écouter et demain je te réserve une journée de visite assez riche.

*

* *

Ils finirent leur dîner et Avi raccompagna Noam à son hôtel. Seul dans sa chambre, observant par la fenêtre les lumières de la Ville sainte, Noam repensa aux propos de son guide. Deux voix se disputaient sa raison. La première, railleuse, lui enjoignait de renoncer à cette rencontre et de rentrer chez lui reprendre le cours d'une vie normale. La seconde, plus nuancée, presque sournoise, lui soufflait qu'une réponse à ses préoccupations existait, qu'elle se trouvait sans doute toute proche, dans l'une des rues de cette cité mystique.

*

* *

Avi était tellement intarissable que son flot de paroles avait fini par lasser Noam. Plus l'heure du rendez-vous à l'Institut Weizenberg approchait, moins ce dernier se montrait attentif.

Au cœur de la vieille ville, dans le quartier juif, au bout d'une étroite rue pavée, ils débouchèrent sur le square Hourva, place sur laquelle de nombreux touristes se reposaient de leurs visites en buvant une boisson fraîche et en dévorant un sandwich vendu par l'une des gargotes voisines, à quelques pas du mur des Lamentations. Noam suggéra une pause et ils s'assirent sur un petit muret. À ce moment, des enfants jaillirent d'une allée. Leurs cris et leurs rires attirèrent son attention. Des tenues noires, une chemise blanche, une kippa sur la tête, de longues péottes se balançant au rythme de leur course, ils offraient un autre tableau vivant, pittoresque et historique de Jérusalem.

— Ils sont... marrants, dit Noam, regrettant immédiatement la platitude de son commentaire.

— Ils sont étonnants, répliqua Avi, pour requalifier la scène. Ils vivent au XXIe siècle mais avec des préceptes qui prévalaient voilà deux mille ans. Ce sont des enfants et pourtant ils se consacrent entièrement à l'étude. À quatre ans beaucoup savent lire et écrire. À cinq ans, ils connaissent des passages entiers de la Torah. À six, ils peuvent les commenter.

— Mais... ils sont tout de même privés de tout ce qu'un enfant de leur âge peut apprécier.

Avi parut déçu par cette remarque.

— C'est quoi ton *tout* ? Une Playstation ? Un écran plasma ? Les séries où l'on dégomme un mec toutes les cinq minutes ? Les baskets à cent dollars confectionnées par des enfants affamés ?

— Non, je voulais dire... leur jeunesse. S'ils passent autant de temps à apprendre...

— Te paraissent-ils tristes ? l'interrompit Avi. Regarde-les rire et s'amuser ! Apprendre est un jeu, un plaisir. Ils ont tout ! La plupart d'entre eux, tout au moins. L'amour de leurs parents, leur considération, le respect de leur intelligence...

— Mais il y a le monde, les voyages, la rencontre d'autres cultures.

— Pense à ce que tu viens de dire. Et maintenant, songe à tes proches là-bas, dans leurs paradis artificiels. Peux-tu jurer qu'ils sont plus heureux qu'eux ? Et toi, qui as eu accès à tous ces... plaisirs de la civilisation moderne, es-tu capable d'affirmer que tu en as profité, que cela t'a enrichi, t'a rendu heureux ? Le piège, Noam, est de porter un regard de touriste sur ce que vivent les sociétés régies par d'autres valeurs que les tiennes.

Son client acquiesça.

— Tu as raison. Nous autres Occidentaux avons toujours l'impression que notre mode de vie mérite d'être érigé en modèle.

Un enfant vint se placer en face de Noam. Ses yeux verts et vifs prenaient une place démesurée sur son visage à la peau blanche, presque transparente. Il déclara quelque chose en hébreu. Noam sourit pour lui manifester de la sympathie et expliquer qu'il ne comprenait pas.

Avi répondit à sa place.

— Qu'a-t-il demandé ? s'enquit Noam.

— De quel pays tu viens.

L'enfant répliqua.

— Il dit que ses grands-parents ont vécu et sont morts en France.

Noam n'osa réclamer plus d'explications et offrit une moue désolée.

L'enfant continua à le dévisager puis l'interrogea à nouveau.

— Il demande pourquoi tu ne crois pas en Dieu, expliqua Avi en esquissant un sourire.

— Qu'en sait-il ?

Le garçon n'attendit pas la traduction.

— Il dit que tu as le regard triste.

Avi marqua un temps d'arrêt.

— Comme si tu étais déjà mort, ajouta-t-il enfin.

La remarque atteignit Noam mais il préféra ne pas le laisser paraître.

— Demande-lui ce qu'il a étudié ce matin.

Avi sourit.

— Tu connais cette pratique ?

— Je la tiens d'Aurore à qui tu l'as toi-même confiée, expliqua Noam.

— Toi, le rationaliste, tu veux jouer avec le sort ?

— Interroge-le, s'il te plaît.

— Si tu y tiens.

Avi l'interrogea.

L'enfant répondit par de longues phrases et attendit qu'Avi traduise.

— Ils ont étudié un passage sur la mort du roi David, expliqua-t-il.

Noam tressaillit.

— Et que dit ce passage ?

— La Torah rapporte un dialogue entre le roi David et Dieu. David demande : « Dieu, laisse-moi connaître ma fin ; et la mesure de mes jours quelle est-elle ; puissé-je savoir quand je cesserai ? » Dieu refuse de donner à David la date de sa mort mais lui révèle qu'il mourra un samedi. Dès lors, quand le roi David sentit sa fin approcher, un samedi, il étudia la Torah car l'ange de la mort ne peut prendre un homme qui lit le texte sacré, source de vie. Il étudia toute la journée sans s'arrêter pour dormir ou manger. Le moment venu, l'ange de la mort remua les branches d'un arbre pour distraire David. Celui-ci se leva, trébucha et mourut en tombant.

Noam, à ce récit, se pétrifia. L'enfant venait de citer un passage le concernant. Plus même, l'angoisse du roi David était la sienne. S'agissait-il d'un message, d'un signe du destin ou simplement du fruit du hasard ?

— Hey ! Ne fais pas cette tête, s'exclama Avi. Cette histoire t'a bouleversé ?

— Oui. Parce qu'elle trouve un écho particulier en moi, se contenta-t-il de répliquer.

Lui fallait-il considérer que l'enfant était un messager et que la théorie de la prophétie des innocents était vraie ?

— Tu vois, cette ville est porteuse de réponses, murmura Avi dans un étrange sourire.

Chapitre 9

L'apparence revêche du docteur Ilan Portman, sa grande taille, ses larges épaules et son air renfrogné contrastaient avec sa voix douce et l'élégance de ses manières. Il avait chaleureusement accueilli Noam et l'avait conduit à son bureau. La pièce, assez vétuste, rassemblait des meubles dépareillés et mal en point. La fenêtre donnait sur un jardin dans lequel Noam pouvait apercevoir des enfants assis dans l'herbe ou sur des bancs, seuls ou accompagnés d'adultes.

— Linette Marcus a travaillé deux ans avec moi dans cet institut, confia-t-il. Une femme étonnante.

— En tant que psychologue ?

— Pas vraiment. Elle m'avait demandé un poste de bénévole afin d'étudier la communication facilitée. Elle devait rester deux mois mais s'est prise de passion pour notre approche et d'affection pour les enfants. Elle a ensuite succombé aux charmes de la ville et a voulu approfondir ses connaissances kabbalistiques. Elle possédait une soif d'apprendre assez rare, une curiosité intellectuelle infinie.

— Vous a-t-elle révélé l'objet de ma visite ?

— Non. Et je n'ai pas besoin de le connaître. Elle m'a seulement demandé de vous présenter Sarah.

À ce moment, un petit garçon aux cheveux sombres et bouclés vint se placer devant la fenêtre et se figea. Noam crut qu'il l'observait. Ilan Portman se tourna et le salua mais l'enfant ne réagit pas.

— Il se demande qui je suis ?

— Peut-être. Ou alors il ne fait que contempler son visage dans le reflet de la vitre.

— Pourquoi Sarah ? Je veux dire, pourquoi est-ce cette enfant que Linette Marcus m'a conseillé de rencontrer ?

— Une enfant ? s'étonna le solide directeur. Non, Sarah était enfant quand Linette se trouvait parmi nous mais elle a maintenant près de seize ans. Linette et Sarah ont entretenu une relation assez particulière. Elles étaient très proches l'une de l'autre et sont restées en contact.

— En contact ? s'étonna Noam.

— Oui, Linette vient deux à trois fois par an à l'institut et passe beaucoup de temps avec elle. Mais elles communiquent également par Internet.

— Grâce à la communication facilitée ?

— En effet.

— On m'a dit que les consultations sont désormais interdites.

— Et tant mieux ! C'était devenu un grand n'importe quoi. Et cela a fait beaucoup de tort à notre approche.

Le petit garçon posa la main sur la vitre. Sans réfléchir, Noam l'imita.

— Notre métier est difficile, souvent ingrat, continua le médecin. Nous doutons parfois de l'intérêt de notre travail. Mais certains moments sont magnifiques. Allons voir Sarah, elle vous attend.

*
*   *

Sarah était une jeune fille dont le physique dissimulait l'âge. Assise sur son lit, le dos voûté, elle paraissait de prime abord soumise au poids des années. Mais son visage ensuite, bien qu'inanimé, révélait sa jeunesse. Elle se balançait légèrement d'avant en arrière, le regard perdu sur les dessins du mur qui lui faisait face.

— Bonjour Sarah, lança Ilan Portman. Ton invité est là. La jeune fille ne manifesta aucune réaction.

— Bonjour, murmura Noam, saisi par l'émotion.

— Comme je te l'ai dit, c'est ton amie Linette qui te l'envoie.

La jeune fille accentua légèrement son mouvement d'oscillation.

— Je vais vous laisser avec elle, annonça le directeur.

Noam appréhendait de se retrouver seul avec la jeune autiste. Que devait-il faire ou dire ? Comment communiqueraient-ils ?

Le docteur Portman saisit son trouble et le rassura.

— Vous allez lui parler, lui dire pourquoi vous êtes venu. Dans quelques minutes, une assistante vous rejoindra. C'est elle qui établira la communication entre vous. N'hésitez pas, discutez comme si vous étiez face à une amie. Elle entend et comprend tout.

Il quitta la pièce et Noam resta un instant silencieux, ne sachant s'il devait s'asseoir ou rester debout ni par quoi commencer. Et sur quel ton devait-il s'adresser à elle ? Le piège était sans doute d'adopter une approche condescendante.

À travers le mutisme de Sarah, Noam eut l'impression de percevoir une tension. Ou plutôt une attente. Il saisit alors une chaise, s'assit devant elle, se racla la gorge et commença.

— Je dois t'avouer que je suis un peu embarrassé. Enfin, je me permets de te tutoyer, j'espère que tu ne m'en voudras pas... Je ne me suis jamais retrouvé dans une telle situation. Et, pour être totalement franc, je ne suis pas sûr que tu puisses m'aider. Je suis assez sceptique quant à ce qu'on m'a raconté à propos de... tout ça et sur ta capacité à me prodiguer des conseils. Mais je ne pouvais faire autrement que venir ici et en avoir le cœur net. Voilà, il fallait que ce soit dit afin que nous commencions notre... conversation sur des bases saines.

Sarah resta impassible.

— Je suis venu te poser une question. Une question que tu trouveras très étrange. Enfin, à la réflexion, elle ne te paraîtra pas étrange du tout puisque je sais qu'à une certaine époque, tu devais être sollicitée par un grand nombre de personnes aussi perdues que moi. Mais, avant de te la poser, il faut que je te raconte mon histoire. Enfin, pas toute mon histoire mais les événements m'ayant conduit à me perdre et à rencontrer ton amie, Linette Marcus.

Il entama le récit des faits qui, ces dernières années, l'avaient lentement entraîné dans son état de désespérance. Il raconta son éternel mal-être, son obsession de la mort, les paroles d'Anna, celles du vieux prédicateur, son incapacité à envisager l'avenir.

— Voilà, je pense t'avoir tout dévoilé. Alors ma question est la suivante : ma nièce m'a-t-elle révélé une vérité ? Et, si c'est le cas... quand vais-je mourir ?

Sarah accentua son mouvement de balancier, comme en prise à une réflexion dont l'intensité ne transparaissait pas sur son visage.

Après une minute d'un pesant silence, une femme entra. Âgée d'une trentaine d'années, vêtue d'un vieux jean et d'un tee-shirt portant le nom de l'institut.

— Oula ! Il était temps que j'arrive, s'exclama-t-elle en voyant Sarah s'agiter.

Elle ouvrit la sacoche qu'elle portait en bandoulière et en sortit un ordinateur. Elle le connecta à un autre écran placé face à Noam.

— Bonjour, je suis Virginie, dit-elle en tendant la main à ce dernier pendant que l'ordinateur s'allumait. Je travaille avec le docteur Portman et suis, en quelque sorte, l'interprète de Sarah.

Elle posa le portable devant la jeune fille, saisit ses mains et les plaça sur le clavier.

— Savez-vous comment fonctionne cette communication ? demanda-t-elle à Noam.

— Oui, on me l'a expliqué.

— Très bien. Alors je place mes mains sur les siennes. Et, grâce aux impulsions qu'elle va me communiquer, je l'aiderai à écrire. Vas-y, ma chérie, je suis à ton écoute.

Virginie ferma les yeux pour se concentrer. Les deux index de Sarah allèrent alors marteler les touches de l'ordinateur.

Et Noam découvrit ses paroles.

Bonjour monsieur Beaumont.

Comment savait-elle son nom de famille ? se troubla Noam. Puis, il se ressaisit. Le docteur Portman ou même Linette Marcus avaient pu le lui communiquer. Il ne devait pas se laisser impressionner pour si peu.

Il était grand temps que vous veniez me voir.
Pour ma part je vous vouvoierai.
Notre différence d'âge m'impose le respect.

Les doigts de Virginie se déplaçaient lentement.

Vos questions sont légitimes.
Réaliser que sa présence sur terre possède
une fin est la première des conditions qui permet
d'en comprendre le sens. Mais vous n'en êtes pas là
aujourd'hui. Au contraire, l'idée de votre mort
vous empêche de vivre.

Les yeux de Noam allaient de l'écran à l'étrange hydre à deux têtes s'exprimant face à lui. Si la situation était cocasse, pour l'instant rien de ce que Sarah savait ne paraissait présenter d'intérêt particulier.

Aux yeux de la plupart des êtres humains,
la vie et la mort sont des concepts qui s'opposent ou,
au mieux, se juxtaposent. Or, c'est dans la relation
qu'ils entretiennent qu'il convient de chercher
un sens à nos vies.

Que tentait de dire Sarah à travers ces phrases dont la portée philosophique n'intéressait pas vraiment Noam ?

Perçut-elle sa déception ? Elle s'arrêta de s'exprimer et se balança plus fortement encore. Une légère plainte s'échappa de sa bouche. Noam ressentit un malaise l'envahir ; plus même, une frayeur sans qu'il pût dire si celle-ci était due aux gémissements inhumains de l'autiste ou à l'étrangeté de la situation.

Virginie ouvrit les yeux et posa un regard inquiet sur la jeune fille.

— Sarah, veux-tu que nous arrêtions ?

La jeune fille cessa brusquement son râle et ralentit le mouvement.

— Bon, d'accord, on continue, décida Virginie, comme si Sarah avait clairement répondu à sa question.

Une longue minute passa sans qu'elle s'exprime. Puis les mains de Virginie recommencèrent à flotter sur le clavier et les mots s'affichèrent sur l'écran.

Anna vous a délivré un message essentiel
dont vous devez seul chercher le sens.

Vous souhaitez connaître la date de votre mort ?
Je ne peux vous la révéler.

Cette phrase accabla Noam, mais il n'en laissa rien paraître. Allait-elle en rester là ? Si c'était le cas, sans doute se sentirait-il stupide d'avoir cru possible de trouver une réponse auprès d'une jeune autiste et soulagé de voir la raison reprendre ses droits.

Mais les doigts de Sarah se remirent à composer des mots.

Vous connaissez l'histoire de la mort du roi David.

Ce n'était pas une question mais une assertion. Comment pouvait-elle savoir ce que Noam venait d'apprendre ? Il sentit son cœur se serrer.

« La fin d'un homme ne doit pas être connue de lui »,
lui a répondu Dieu. Mais il a tout de même accepté
de lui donner une indication et lui a révélé
qu'il mourrait un samedi.
Alors, comment pourrais-je, moi,
vous révéler le jour de votre mort ?

Sarah s'arrêta de s'exprimer et Noam ne sut s'il devait réagir, argumenter, défendre sa requête. Non, elle n'engageait pas une discussion avec lui. Et qu'aurait-il pu dire ?

Mais je peux vous donner une indication.

À la lecture de cette phrase, il tressaillit. Il sentit son cœur s'affoler et déglutit pour tenter d'ouvrir le nœud soudain formé dans sa gorge. Ses yeux fixèrent l'écran avec avidité.

Je peux vous donner les noms de cinq personnes
qui mourront en même temps que vous.

Qu'est-ce que cela signifiait ? Cinq personnes. Celles qu'avait mentionnées Anna ?

Virginie parut tout aussi troublée par ce que Sarah venait d'écrire. Noam décela même une expression d'inquiétude sur son visage. La jeune autiste laissa échapper une plainte, comme un cri de douleur qui le fit sursauter. Il lui semblait que la jeune fille combattait des forces invisibles pour continuer à écrire. Puis, brusquement, elle se calma et reposa ses mains sur le clavier.

La première de ces cinq personnes
vit dans ce pays. Il s'agit d'Adam Weinstein.

En découvrant cette information, Noam sentit une bouffée de chaleur l'envahir. Son esprit vacilla et sa respiration se fit plus courte. Il se trouvait face à un nom, à une donnée précise et mystérieuse à la fois ? Qui était cet homme ? Qu'avait-il en commun avec lui ?

Vous le trouverez à Tel-Aviv, rue Hatikva.
Je vous communiquerai le nom
des autres personnes prochainement.

Noam demeura immobile, les yeux posés sur l'écran. Puis celui-ci s'éteignit et Noam sortit de sa torpeur. Virginie s'était déjà levée. Quand leurs regards se croisèrent, il espéra que l'interprète lui ferait comprendre d'un sourire que tout ceci n'était pas sérieux, qu'il ne devait en aucun cas se fier à ce qu'il avait lu. Mais, au contraire, il perçut de l'embarras, voire une sorte de compassion chez elle.

— L'entretien est terminé, murmura-t-elle, pour l'aider à reprendre pied dans la réalité. Sarah est fatiguée. Elle a beaucoup parlé et cela lui réclame d'incroyables efforts.

Noam aurait voulu questionner encore et encore mais sa bouche resta muette. La peur effroyable qui l'avait saisi faisait courir des frissons sur sa peau et il sentit de la sueur glisser sur ses tempes et dans son dos. Était-il possible qu'une voix venue d'ailleurs ait communiqué avec lui ?

— Laissez-moi votre adresse e-mail. Sarah doit vous communiquer les informations qu'elle vous a promises, le réveilla Virginie.

Il se leva, fouilla la poche de sa veste, en sortit une carte qu'il tendit à l'interprète. Ses gestes étaient mécaniques, comme effectués sous hypnose. Son esprit peinait à assimiler l'ampleur des informations que Sarah lui avait transmises. La facilitante se dirigea vers la porte et invita Noam à la suivre. Avant de quitter la pièce, celui-ci se tourna vers Sarah. La jeune fille avait recouvré son impassibilité.

— Merci Sarah, murmura-t-il. Au... au revoir.

Sa voix tremblait.

*
* *

Avi attendait patiemment Noam au café situé face à l'institut. En découvrant le visage contracté de son client, il fronça les sourcils.

— Ça s'est mal passé ? Elle t'a dit quelque chose de contrariant ?

Était-il contrarié ? Et pouvait-il prétendre que la rencontre s'était mal passée ? Comment répondre alors qu'il ne savait pas vraiment ce qu'il était venu chercher dans cet institut ni comment considérer les informations communiquées ?

— Il faut que je me rende à Tel-Aviv, annonça-t-il, omettant de rassurer Avi. Peux-tu m'y accompagner ?

Avi se gratta la nuque, hésitant.

— Je suis guide à Jérusalem, pas taxi, mais bon, je ne peux pas te refuser ce service, plaisanta-t-il. Tu as l'air si défait. Et Aurore m'en voudrait. Quand veux-tu y aller ?

— Demain matin. Mon avion ne décolle qu'en milieu d'après-midi. Je pense que nous aurons le temps. Si ce n'est pas le cas, je modifierai mon billet.

— Et qu'allons-nous faire à Tel-Aviv ?

— Rencontrer une personne.

— Bon, vu ton état, je crois que je n'obtiendrai aucune réponse claire de ta part.

— Désolé, Avi, j'ai besoin de réfléchir, de me retrouver seul. Je t'expliquerai demain, durant le trajet.

— Ce qui signifie que nous ne continuerons pas notre visite ce soir ?

— En effet. Je ne me sens pas prêt à jouer le touriste insouciant.

— Tu m'inquiètes. Tu ne veux vraiment pas me confier ce qui s'est passé ?

— N'y vois aucun manque de respect. J'ai du mal à comprendre ce qui m'arrive, j'en aurais d'autant plus à te l'expliquer.

— Je n'insiste pas. Je te raccompagne à ton hôtel ?

— Non, je vais marcher un peu. Nous n'en sommes pas loin n'est-ce pas ?

— Tu rejoins le centre commercial que tu vois là-bas, il porte le même nom que ton hôtel, et tu le remontes jusqu'au bout.

— Peux-tu me rendre un service ?

— Je t'en prie.

— J'aimerais que tu recherches sur l'annuaire de Tel-Aviv un certain Adam Weinstein. Il habite rue Hatikva.

— C'est avec lui que tu as rendez-vous demain ? interrogea Avi en notant les informations sur son smartphone.

— Je n'ai pas rendez-vous mais oui, c'est lui que je veux rencontrer.

— Faut-il que je l'appelle ?

— Si tu peux, mais ne lui parle pas de moi. Essaie juste de savoir qui il est. Et note le numéro de la rue.

— Bon, me voici promu enquêteur. Tout ça est très mystérieux mais pas pour me déplaire. À demain, ami.

Il s'éloigna pensif mais, avant de monter dans sa voiture, interpella Noam.

— Sais-tu qu'Hatikva veut dire Espoir ? Je te l'ai dit... tout a un sens dans ce pays.

*
* *

198

Resté seul, Noam prit le chemin de l'hôtel. Il tenta de se remémorer chaque instant de sa rencontre avec Sarah et de trouver dans ses propos une logique susceptible de calmer son émoi. Mais une seule question l'accaparait : avait-il raison d'accorder du crédit à ce que la jeune autiste avait dit ? Après tout, cette histoire était insensée. Si Samy se trouvait à ses côtés, il l'aurait ramené sur terre à grands renforts de sarcasmes. Mais pouvait-il encore échapper à cette histoire ? Pouvait-il renoncer à rencontrer cette personne liée à lui, selon Sarah, par le plus funeste des sorts ?

Il parvint rapidement à la porte de Jaffa, s'arrêta un instant pour la contempler. Les murailles de la vieille ville se détachaient du bleu vif du ciel. Au pied de la porte, des marchands ambulants interpellaient les passants pour vendre du pain, des fruits, des boissons. Noam pensa que cette ville, par sa magie et son insolente beauté, était sans doute en partie responsable de sa crédulité. Ici, toutes les croyances trouvaient leurs sources. Même les plus folles. Mais il réfuta cette idée : son envoûtement, car il s'agissait un peu de cela, était bien plus ancien.

Il descendit les quelques marches qui conduisaient au centre commercial Mamila. Même si les pierres étaient les mêmes que celles de la vieille ville, une règle architecturale valable dans toute la cité, il abordait maintenant une rue moderne, flanquée de belles boutiques et arpentée par un grand nombre de touristes. Il se sentit soudain rassuré, comme revenu à la vie normale, celle de la consommation et de la superficialité. Un sentiment qu'il jugea stupide mais dont il accepta le réconfort.

*
* *

Avi fit son entrée dans la salle de restaurant où Noam buvait son café.

— Y a rien à dire, vraiment la grande classe cet hôtel, s'exclama-t-il, jovial.

— Tu veux boire ou manger quelque chose ? proposa Noam.

— Cela dépendra de ce que tu vas me dire quand tu sauras que je n'ai pas trouvé d'Adam Weinstein dans l'annuaire. Pas même de famille Weinstein, d'ailleurs. Il se peut qu'il ne soit pas enregistré ou utilise seulement son téléphone portable. Veux-tu quand même aller à Tel-Aviv ?

— Oui. Ça vaut le coup d'essayer.

— Alors tant pis pour le fabuleux petit déjeuner que j'aurais pu savourer, soupira-t-il. Il va falloir arpenter la rue Hatikva, ce qui peut prendre pas mal de temps. Mieux vaut donc partir tout de suite.

Il promena un regard désolé sur le buffet sur lequel étaient savamment présentées toutes sortes de plats salés et sucrés : croissants et pains au chocolat, pâtisseries orientales, donuts, omelettes, fromages, harengs fumés, houmous, salades grecques, tunisiennes, pains français, arabes...

— Tu vois, le petit déjeuner israélien est à l'image de notre culture et de notre politique : nous ne parvenons pas à faire de choix, alors nous juxtaposons nos différences. La présentation est belle et généreuse mais avise-toi de vouloir marier les goûts et tu te promets une belle indigestion !

Avi rit de sa plaisanterie et se leva. Avant de sortir, il saisit un croissant dans lequel il mordit à pleines dents.

— Le goût de la France, ajouta-t-il. Mais, dis-moi, de quel genre de rendez-vous s'agit-il si tu ignores l'adresse de cette personne ? Il est temps que tu m'en dises plus, non ?

— En effet. Pour ta gouverne, la personne que j'ai rencontrée hier m'a révélé que mon sort dépendait de celui d'Adam Weinstein. Et m'a indiqué le nom de cette rue.

Alors qu'il s'apprêtait à monter en voiture, Avi se figea.

— Merde ! Alors tu es entré à fond dans le truc ! Elle te file un nom, prononce deux ou trois paroles mystérieuses et tu fonces !

— Ben... il serait stupide de ne pas vérifier, non ? Je suis en Israël et ce type habite à une heure de Jérusalem.

— Bien entendu. Moi, je l'aurais fait. Mais venant d'un être rationnel... se moqua-t-il. Cela dit, de quelle manière êtes-vous liés ?

Noam hésita à répondre, puis jugea qu'Avi devait connaître l'objectif de la rencontre pour jouer pleinement son rôle d'interprète.

— Nous mourrons le même jour.

Stupéfait, le guide dévisagea son interlocuteur, cherchant à savoir s'il plaisantait.

— Là, on entre au cœur d'une histoire digne de ce pays ! déclara-t-il excité.

Arpentant la rue Hatikva, ils étaient entrés dans les allées de tous les immeubles. Il n'en restait plus que quelques unes à visiter.

— Tu es sûr d'avoir lu chaque nom ? demanda Noam à Avi, découragé.

— Certain, se désespéra ce dernier en attaquant une nouvelle série de boîtes aux lettres.

Noam, incapable de déchiffrer l'hébreu, accompagnait tout de même son guide à l'intérieur de chaque bâtiment.

— A. Weinstein ! s'écria soudain Avi. Nous l'avons trouvé ! Il doit habiter ici depuis peu, son nom est inscrit sur un bout de papier. Allez, ne perdons pas de temps, montons rencontrer ton compagnon d'infortune.

— Attends, tempéra son client, réfléchissons à ce que nous allons lui dire. Nous ne pouvons pas débarquer chez lui et raconter qu'une autiste m'a confié que nous allions mourir le même jour !

— J'ai déjà mon plan. Je vais expliquer que tu es français, que tu t'appelles également Weinstein, que nous cherchions l'adresse d'un ami quand j'ai repéré son nom sur la boîte aux lettres. Tu t'es alors souvenu qu'un de tes petits-cousins, que tu ne connais pas, s'appelle Adam Weinstein et habite cette ville. Tu as voulu vérifier si le hasard t'avait placé sur son chemin.

— C'est crédible ?

— Oui, et ce pour trois raisons. La première est que tous les juifs du monde ont des cousins ou petits-cousins perdus de vue qu'ils rêvent de retrouver. La seconde est que, par définition, un juif croit au destin. La troisième, et non la moindre, est que je suis un excellent comédien.

Ils montèrent jusqu'à l'appartement désigné sur la boîte aux lettres. Quand Avi sonna, Noam sentit son cœur s'emballer. Qu'allait-il découvrir derrière cette porte ?

*

*   *

Un homme d'une trentaine d'années ouvrit.

— Shalom, lança Avi dans un grand sourire.

— Shalom, répondit l'inconnu, le visage fermé, attendant une explication à cette visite impromptue.

— Adam Weinstein ?

L'homme parut surpris.

— Non, Alan Weinstein, rétorqua-t-il, sur ses gardes.

Avi s'excusa et conta l'histoire préparée.

Le visage de l'homme se détendit. Quand Avi eut fini d'expliquer, l'autre se mit à rire. Avi s'esclaffa également en entendant la réponse puis s'adressa à Noam.

— Adam Weinstein est... son fils.

— Son fils ?

— Oui, mon fils, reprit Alan Weinstein, hilare, en anglais.

Une voix de femme se fit alors entendre. L'homme, s'esclaffant, résuma la situation à haute voix.

La femme apparut, un nourrisson dans les bras.

— Voici Adam Weinstein, annonça le père en désignant le bébé.

Le visage décomposé de Noam fit rire le couple.

— Khamoud ! s'exclama Avi en caressant le crâne du bébé.

Les parents exhibèrent ce dernier avec fierté.

— Ne reste pas figé comme ça, marmonna Avi à Noam, tu vas finir par les inquiéter. Dis que leur fils est mignon. Ça se dit « khamoud ».

Noam, incapable de parler, esquissa un sourire.

— Il est déçu, il espérait trouver son cousin, s'empressa de justifier Avi.

— Essaie de savoir s'il est en bonne santé, chuchota alors Noam.

— Tu plaisantes ? Comment veux-tu que je demande cela ?

— Débrouille-toi. Je te croyais bon comédien.

— OK, j'essaie.

Avi, feignant de s'intéresser au petit, posa d'autres questions auxquelles les parents répondirent sans hésitation.

Noam ne pouvait s'empêcher de contempler ce jeune couple, beau, heureux, fier de leur enfant. La vie s'ouvrait devant eux, une vie qu'ils devaient imaginer sereine et espéraient clémente pour leur fils. Mais un drame terrible les attendait... si ce que Sarah avait annoncé était vrai.

Le jeune couple proposa aux visiteurs de rentrer se rafraîchir, mais Avi refusa poliment et s'excusa de les avoir dérangés. En partant, Noam leur adressa un petit signe de la main.

— Le bébé a quatre semaines, expliqua Avi alors qu'ils dévalaient les escaliers. L'accouchement s'est bien passé. Je lui ai dit qu'il semblait vif pour son âge, elle m'a assuré qu'il était, en effet, très éveillé. Quand je me suis étonné de sa taille, elle m'a expliqué qu'il tétait goulûment et profitait pleinement du lait maternel. Bon, je ne pouvais pas lui demander son carnet de santé mais tout laisse à penser que ce nourrisson se porte magnifiquement bien. Dans le cas contraire, ses parents n'auraient pas paru si épanouis, à mon sens.

— En effet, grommela Noam, pensif.

— C'est une bonne nouvelle pour toi ! Après tout, cela signifie que tu vivras vieux.

— On peut le voir ainsi. Mais ce n'est pas forcément une bonne nouvelle pour le petit Adam. Si ce que Sarah avance est vrai, cela veut dire qu'il mourra prématurément.

— Mince… je n'y avais pas songé, s'exclama Avi tandis que son visage soudain s'assombrissait.

— Imaginons que je meurs à l'âge moyen, soit entre soixante-dix et quatre-vingts ans, eh bien, lui n'aura que trente ou quarante ans.

— Alors, espérons que tu deviennes centenaire.

Je ne cesse de penser à Sarah, à ses étranges paroles. Est-il possible qu'un être possède la capacité d'explorer votre avenir, d'y déceler des vérités ? Est-il possible que son état lui confère un don de prophétie ? Dès lors que j'échappe à ces idées, l'image des Weinstein vient m'agresser. Suis-je lié à ce bébé par le plus funeste des sorts ? Selon quelle logique ? L'envisager me trouble et me mortifie.

Je revois ces parents nous présentant fièrement leur bébé, attendant que nous manifestions l'intérêt que tous les pères et mères revendiquent à ceux auxquels ils accordent l'honneur d'exhiber le fruit de leur amour. Que se passe-t-il dans un couple pour que l'apparition d'un bébé conduise chacun à renouer avec des émotions pures ?

Où puisent-ils l'incommensurable espoir qui les porte à se réconcilier avec le présent et l'avenir ?

L'histoire ne leur a-t-elle pas révélé la banalité de l'événement, la duperie de la promesse ?

Ces questions sont celles que je ne cesse de me poser face à la naïveté béate des nouveaux parents. Je ne les comprenais pas, refusais de participer à la comédie de sacralisation de ces petits êtres. Je faisais partie de ceux qui refusent de considérer que la valeur de leur vie puisse être résumée à celle de leur progéniture. De fait, je n'ai jamais envisagé de devenir père. Mais ce que je croyais être un principe n'est-il pas seulement un alibi pour masquer mes manquements ?

Comment envisager la paternité quand on se sent incapable d'aimer ?

Et puis la naissance d'Anna est venue ébranler mes certitudes. Au-dessus de son berceau, j'ai senti un océan d'émotions s'agiter en moi. Mais je me suis raisonné : Anna, fille de ma sœur, bénéficiait de l'amour que je vouais à celle-ci.

La deuxième faille est née durant ma rencontre avec les Weinstein. Imaginer que ce bonheur pourrait bientôt prendre fin m'a bouleversé. Et je suis encore, ce soir, en proie à des sentiments qu'il m'est difficile de canaliser, sur lesquels je ne peux mettre de mots.

Chapitre 10

Samy accueillit Noam avec un large sourire. Arrivé le matin même, celui-ci avait juste eu le temps de prendre une douche et d'avaler un café avant de se rendre au bureau.

— Alors, ce voyage ?

— Pas le temps de te raconter, je file voir le patron.

— Encore ?

— Oui. Je ne veux pas m'occuper du dossier Baram.

— Tu plaisantes ? Il est pas du genre à accepter un refus.

— Je ne vais pas refuser. Je la jouerai plus fine.

— Explique.

— Plus tard. Là, il m'attend.

*
* *

Noam monta à l'étage de la direction. Il avait décidé de se débarrasser de sa mission dans l'avion qui le ramenait en France. Il n'avait ni le temps ni la disponibilité d'esprit nécessaires à un tel projet.

Quand il entra dans le bureau, Duchaussoy discutait au téléphone. Il lui fit signe de s'asseoir.

— Je n'ai que dix minutes à vous accorder. Pourquoi cette demande de rendez-vous urgent, grogna-t-il en raccrochant.

— Le dossier Baram me pose un problème et je souhaitais avoir votre avis.

Son patron ne fut pas dupe : l'entrée en matière relevait des approches de négociations pernicieuses. Manifester de l'intérêt pour son interlocuteur et le valoriser en sollicitant son avis afin de mieux enfoncer ses lignes de défense. Tous deux le savaient, ce qui rendait l'interprétation plus subtile.

— Si je peux vous aider... proposa Duchaussoy, affichant un sourire retors.

— J'ai étudié le dossier et je pense qu'il n'est pas possible de faire réaliser ces séries de vêtements en Asie. Compte tenu des délais, nous n'avons pas le temps de lancer une consultation puis une étude et de réaliser les tests qualité essentiels sur des prototypes. De plus, les spécifications des produits sont si particulières que nous ne pouvons nous caler sur des schémas déjà utilisés.

— Je le savais pertinemment en vous confiant ce dossier Noam. Ce que j'attends de vous, ce sont des solutions, non une analyse des difficultés. Alors, quelles sont-elles, ces solutions ? Parce que je n'ose présumer que vous soyez venu me voir uniquement pour lister des foutues contraintes ?

— Évidemment. J'ai identifié différents fabricants capables de réaliser ces produits en peu de temps. Mais il faudrait que je les rencontre afin de leur expliquer de vive voix ce que nous attendons d'eux et m'assurer qu'ils tiendront les délais. Certains sont situés dans les pays de l'Est mais la plupart se trouvent en Afrique, les usines indiennes ou asiatiques étant à proscrire à cause de la distance.

Noam savait ses arguments bons. Il connaissait également les réticences de son patron à voir ses négociateurs voyager vu les frais que ces démarches occasionnaient. La politique de la maison était claire : identifier les bons interlocuteurs et tout traiter à distance, par téléphone, mails et visioconférence ou, dans les cas les plus délicats, recourir à des agents. Les atermoiements de Noam allaient donc l'exaspérer, l'amener à craindre un échec, et, devant l'enjeu, l'inciter à lui retirer le dossier. Bien entendu, il aurait une piètre opinion de son salarié mais ce dernier s'en moquait.

Duchaussoy planta son regard dans les yeux de son interlocuteur et garda le silence quelques secondes.

— Je comprends vos préoccupations, Noam. Mais j'avoue que vous me décevez. Je vous pensais plus pugnace, malin et ne vous imaginais pas rebuté aux premiers obstacles rencontrés. C'est pour cela que je vous ai choisi. Mais comme nous ne pouvons désormais plus reculer, voici mon idée : travaillez avec un fabricant français. La plupart étant aux abois, ils seront heureux de renouer des relations avec nous, donc accepteront tous les sacrifices. Vous gagnerez du temps en déplacement et raccourcirez les délais de livraison.

— Mais aucune entreprise française ne rivalise avec nos fournisseurs asiatiques ! rétorqua Noam, contrarié.

— La crise a redistribué les cartes, ne l'oubliez pas. Les fabricants français qui n'ont pas déposé le bilan sont prêts à tout.

— Et vous voudriez que je les étrangle un peu plus ?

— Que vous les étrangliez ? Décidément, vous m'étonnez. Notre métier consiste à nous imposer dans un rapport de force afin que celui-ci tourne à notre avantage. J'attends donc une seule chose de vous : que vous me montriez votre capacité à mener à bien cette mission, quels que soient les problèmes. Est-ce clair ?

Noam voulut répliquer, se dire inapte à profiter du malheur des autres, expliquer qu'il avait toujours obtenu des résultats en établissant des rapports gagnant-gagnant, selon l'expression consacrée, mais son hésitation fut comprise comme un assentiment. Et son patron mit fin à la réunion.

*
* *

Aurore l'avait appelé dès son retour. Elle lui avait d'autorité fixé rendez-vous le soir même pour prendre un verre. « Je veux connaître tous les détails du voyage », avait-elle argumenté. Ils s'étaient retrouvés dans un pub et Noam lui avait conté sa rencontre avec Sarah puis la visite au domicile des Weinstein. La journaliste

l'avait écouté avec autant d'intérêt que d'étonnement.

— Alors, qu'en penses-tu ? interrogea-t-il
quand il eut terminé.

Aurore arrondit ses yeux et ses lèvres et
secoua la main à la manière d'une enfant exprimant son étonnement.

— Ce que j'en pense ? Nous sommes en plein
film fantastique.

— Sérieusement !

— Je vais te répondre, mais j'aimerais avant
tout que tu me dises comment, toi, tu considères cette... aventure. Accordes-tu encore du
crédit à la théorie de ton gourou ?

— Eh bien... disons que je suis partagé.
J'alterne des moments de profond scepticisme et d'autres de parfaite crédulité. Face
à Sarah, j'étais convaincu qu'elle ne me men-
tait pas.

— Oui, mais tu te trouvais dans la ville la
plus magique et la plus déstabilisante du
monde. Sais-tu que, chaque année, des
dizaines de personnes sont conduites à l'hôpital psychiatrique Kfar Shaul parce qu'elles
pètent les plombs ? Ces hommes et ces
femmes d'ordinaire tout à fait sains d'esprit,
parce qu'ils découvrent un environnement
complètement différent de celui dans lequel
ils ont l'habitude d'évoluer, qui plus est au
cœur d'une ville chargée d'histoire, de
mythes, perdent leurs repères, paniquent ou
en viennent jusqu'à se prendre pour le nouveau messie. On appelle ça le syndrome de
Jérusalem.

— Je n'élude pas ce pouvoir mystique. Mais, quand elle s'est exprimée, Sarah m'a donné l'impression de me confier une vérité ou, tout au moins, sa vérité. Et puis pourquoi mentirait-elle ? Elle ne me connaît pas, vit dans son monde intérieur, exempt de tout vice.

— Ce n'est pas parce qu'elle est convaincue que ce qu'elle dit est vrai. Les fous aussi sont certains de détenir une vérité.

— Tu me parais plus dubitative qu'auparavant.

— Je tente simplement de rester critique. Et, pendant ton absence, je me suis penchée sur le parcours de cette Linette Marcus.

Noam se figea, étonné d'apprendre qu'Aurore avait cherché à en savoir plus, touché de la sentir concernée, mais également inquiet de ses découvertes.

— Ne fais pas cette tête. C'est presque un réflexe chez moi d'investiguer, de fouiller et recouper les informations. Alors sache que ta psy, femme étrange qui puise dans les sciences occultes des outils qu'elle utilise sur ses patients, est très controversée.

— Elle me l'a dit.

— Oui, mais les arguments de ses opposants se révèlent assez pertinents. Par ailleurs, ce que je sais de la communication facilitée me rend encore plus méfiante. Cette méthode a été rejetée par la quasi-totalité de la communauté scientifique. Des recherches ont prouvé que les connaissances exprimées par les autistes étaient celles de leurs facilitants.

— Il y a eu des abus, en effet. Mais, dans certains cas, le savoir des autistes dépassait celui de ceux les aidant à s'exprimer.

— Aucune preuve n'est venue étayer cette hypothèse.

— Donc, pour toi, il s'agit d'une immense fumisterie.

— Je vais être sincère, Noam. La suggestion de ta psy d'engager cette quête de la vérité avait attisé ma curiosité. Je t'ai encouragé à entreprendre ce voyage car tu en éprouvais le besoin. Mais rien de ce que j'ai découvert ni de ce que tu me relates ne m'incite à accorder une quelconque crédibilité à cette démarche.

— Tu me conseilles de laisser tomber ?

— Je suis même désormais convaincue que tout ceci est inutile, que les réponses, si tu en trouves, ne résoudront pas tes doutes existentiels dans la mesure où le problème est ailleurs. Et je m'étonne qu'un médecin aussi réputé qu'Aretha Laurens t'ait envoyé rencontrer une psy aussi fantasque que Linette Marcus. Elle aurait plutôt dû t'adresser à un confrère capable de t'amener à remonter aux sources du mal afin d'en annihiler les conséquences.

— Si elle m'a conseillé de rencontrer Linette Marcus, c'est qu'elle pense ses méthodes plus utiles dans mon cas que celles d'un psychanalyste ou un psychothérapeute traditionnels.

Aurore réfuta l'argument d'un mouvement de tête.

— Te faire emprunter les chemins de la mystique pour résoudre un problème d'ordre psychologique me paraît surprenant de la part d'une telle praticienne.

— De toute façon, deviser sur les intentions du docteur Laurens ne sert à rien maintenant. Je me suis volontairement engagé dans cette démarche et je me crois suffisamment conscient des limites et des risques pour quitter l'aventure quand je le jugerai bon.

— À mon avis, c'est maintenant que tu dois abandonner. La confrontation avec ce bébé ne t'a rien apporté. Il n'existe aucun lien entre vous.

— En tout cas, pas de lien évident. Mais Sarah ne m'a pas déclaré qu'il y en avait. Elle m'a simplement dit que nous mourrons le même jour.

— Sordide. Et invérifiable.

— C'est vrai.

— Tu vas pourtant continuer !

— Je le pense.

— Tu dois avant tout penser à te ménager ! Tu sembles si épuisé.

— Je le suis, en effet. Je vais d'ailleurs rentrer.

— Et voilà, tu me fais la tête maintenant ! Ne te trompe pas sur mes intentions, Noam. Je ne suis pas contre le fait que tu continues à chercher des réponses dans la voie où tu t'es engagé. Mais je veux t'aider à te poser les bonnes questions afin de ne pas te perdre dans une logique obscure.

— Je ne te fais pas la tête, Aurore. Je te suis même reconnaissant de t'intéresser à mon cas, mais je suis de plus en plus sûr qu'une réponse m'attend au terme de cette aventure et qu'il me faut aller la chercher.

*
* *

En entrant à son domicile, Noam était tiraillé par des sentiments contraires. Aurore, en lui livrant son opinion, ne lui avait rien révélé qu'il ne sache. Mais, énoncé clairement et porté par sa bienveillance, son avis l'avait touché. Agissait-il par conviction, crédulité, faiblesse, ignorance ou par peur ? Sans doute y avait-il un peu de tout cela, dans des proportions qu'il ignorait.

Il jeta un regard rapide sur l'écran de son ordinateur et ses yeux butèrent sur le nombre de messages qui l'attendaient. Il fit défiler les en-têtes des e-mails, conscient de n'en chercher qu'un seul qu'il repéra rapidement.

De : Sarah
Objet : 2e personne

*
* *

Il resta un instant figé, hésitant à ouvrir ce courriel. Sa respiration devint plus haletante.

L'ouvrir signifiait reprendre le cours de cette folle aventure. Le supprimer, refuser de se prêter à ce jeu perturbant voire dangereux et accepter une vie normale.

Il posa son majeur sur la touche « suppression ».

Une vie normale ? Dans son cas cela voulait dire sans saveur, une existence dans laquelle il n'était qu'un être perdu, névrosé, incapable d'envisager l'avenir. Il en était incapable.

Son doigt glissa alors sur la touche « entrée ».

Cette situation s'avérait profondément ridicule. Pourquoi se résoudre à devenir victime d'une vision obscurantiste du monde ?

Le doigt se déplaça à nouveau.

Oui, mais s'il effaçait cet e-mail et rompait la relation, il serait à jamais hanté par le doute. Peut-être même par le remords de ne pas avoir été au terme de cette étonnante histoire, de ne pas savoir ce qu'elle cachait. Impossible.

Il prit une profonde respiration et appuya sur la touche.

De : Sarah
Objet : 2e personne

Message :
Filippo Luzzato, via Emilio Longoni 96, Rome.

*
* *

Pourquoi Rome ? Il n'avait jamais séjourné dans la capitale italienne, n'y possédait aucune connaissance. Son père, d'origine italienne, était né en Calabre mais avait grandi en France et, vraisemblablement, sans conserver de contacts sur la péninsule. Cela ne pouvait donc en rien constituer une piste.

S'il y avait un lien entre lui et cet homme – cet enfant ? – quel pouvait-il être ?

Repensant à Tel-Aviv, il réalisa que la ville et le bébé lui étaient, eux aussi, totalement étrangers.

Pas de doute, impossible de reculer et se ranger, désormais, aux arguments logiques qui lui intimaient d'oublier cette chimère.

Il se connecta sur un site de voyage et réserva un billet pour le lendemain matin.

Chapitre 11

Le taxi déposa Noam devant la librairie *La Feltrinelli*, sur le largo Torre Argentina. De nombreux touristes déambulaient en tenues légères dans la chaleur suffocante de l'été romain. Il leva la tête sur les immeubles jaunes, ocre et « couleur de l'air » typiques de cette ville, puis découvrit, au milieu de la place, l'Area Sacra, vestiges de temples romains mis à jour au début du siècle précédent et exposés à ciel ouvert. La magie du lieu opérant, il oublia un instant les raisons de son voyage, admira les colonnes, les marches, les autels, tenta d'imaginer la vie dont ils avaient été témoins. Il s'imprégna de cette atmosphère particulière à Rome, faite de majesté et de précipitation, d'histoire et de modernité. Pourquoi n'était-il jamais venu visiter cette cité considérée comme l'une des plus belles du monde ? Il avait pourtant les moyens de voyager ? Simplement parce qu'il ne savait pas vivre, le tourisme lui ayant toujours paru être une occupation superfétatoire, réservée aux insouciants.

Il se rendit à la résidence Torre Argentina, trouvée sur Internet la veille, chambres d'hôtes installées au quatrième étage d'un immeuble d'habitation. Le petit homme qui l'accueillit en souriant l'installa dans une suite confortable et lui offrit une boisson fraîche. Noam prit ensuite une douche, se changea, descendit dans la rue, héla un taxi à qui il donna le nom de la rue dans laquelle Filippo Luzzato demeurait. La veille encore, il avait tenté d'en apprendre plus sur cet homme en fouillant les pages de Google. En vain : il disposait de trop peu d'informations pour opérer un tri dans les innombrables résultats offerts par le moteur de recherche.

Le taxi s'arrêta devant un bâtiment dont la couleur et les volumes architecturaux contrastaient avec ce qu'il avait aperçu jusqu'alors de l'urbanisme romain.

Une fois dans le hall, tout en marbre clair, Noam se demanda s'il entrait dans un hôtel, une sorte de pension moderne, voire un hôpital. Un homme l'interpella, lui proposant son aide.

— Je cherche monsieur Luzzato, expliqua-t-il en anglais.

Le réceptionniste compulsa un registre.

— Deuxième étage, chambre 22, annonça-t-il en désignant l'ascenseur.

*
* *

Noam déboucha dans un couloir désert. Le carrelage affichait un gris plus foncé que celui des murs et de jolis lustres conféraient au décor une atmosphère paisible.

Il tendit l'oreille. Un silence pesant régnait. Un silence presque agressif mais derrière lequel il lui sembla percevoir des murmures. Des petits panneaux lui indiquèrent la direction à prendre pour atteindre la chambre 22.

Il devait s'agir d'un hôtel, pensa-t-il. Un hôtel étrange où on laissait les visiteurs monter dans une chambre sans prévenir les intéressés.

Au moment où il arriva devant la pièce portant le numéro 22, la porte s'ouvrit. Une infirmière en sortit et lui sourit machinalement. Et, devant l'air perplexe de Noam, s'arrêta et demanda ce qu'il cherchait.

— *Il signore Luzzato.*

Elle revint sur ses pas et poussa la porte pour l'inviter à entrer. Il avança, le cœur battant.

Ce qu'il vit le plongea dans l'effroi : Filippo Luzzato était un vieillard au seuil de la mort.

*
*   *

Le corps de Filippo Luzzato était relié à un ensemble d'appareils. Il devait avoir plus de quatre-vingts ans. Ce que Noam voyait de son visage révélait l'état d'épuisement extrême du vieillard : une peau fine, presque transparente, des cernes autour de ses yeux clos, une barbe blanche parfaitement taillée, des lèvres pâles, fines et craquelées par endroits.

Noam réalisa qu'il se trouvait dans un établissement médicalisé. À la frayeur ressentie succéda une colère sombre qu'il peina à endiguer. D'un coup, il refusa de croire ce que Sarah lui avait annoncé ! Quel cynisme fallait-il posséder pour révéler à un homme venu vous rendre visite que ses jours étaient comptés ? Qu'un bébé allait lui aussi quitter ce monde et plonger ses parents dans le désarroi le plus total. Car c'était bien là le sens de la prédiction : Noam et le nourrisson mourraient en même temps que ce grabataire, c'est-à-dire très bientôt.

Il pensa d'emblée à la famille Weinstein, à leur bonheur qui, bientôt, volerait en éclats. Que devait-il faire ? Les prévenir ? Leur raconter le redoutable présage et leur conseiller de surveiller leur bébé sans relâche ? Foutaises ! Tout ceci n'avait aucun sens.

Ébranlé et furieux, Noam s'assit près du vieil homme et l'observa.

Qui était-il ? Il lui fallait le découvrir. Mais il ne pouvait interroger les infirmières sans éveiller leurs soupçons. Il lui fallait cependant découvrir ce qui le liait à lui et au bébé de Jérusalem.

Son regard balaya la petite pièce et tomba sur un placard. Sans réfléchir, il s'avança et l'ouvrit. Un costume et un manteau s'y trouvaient. Après une seconde d'hésitation, il décida d'en fouiller les poches. Qu'il trouva vides. Il passa alors une main sur l'étagère la plus haute et ses doigts rencontrèrent le cuir d'un portefeuille. Sans hésiter, il s'en empara et l'ouvrit. La carte d'identité lui apprit que Filippo Luzzato avait quatre-vingt-huit ans et habitait le centre de Rome. Sur deux photos assez récentes, le vieil homme posait fièrement au milieu d'une famille comptant de nombreux membres. Une carte de visite écornée indiquait que M. Luzzato avait occupé le poste de professeur de philosophie à l'université La Sapienza de Rome. Rien de plus. Aucune information susceptible d'établir un lien entre eux ou entre cet homme et l'enfant israélien.

Une exclamation le fit sursauter. Une femme, entrée doucement dans la chambre, l'observait effarée. Elle tenait la main d'un petit garçon à la chevelure brune et bouclée, qu'elle ramena contre elle comme pour le protéger. La quarantaine, élégante, des cheveux noirs lâchés sur ses épaules, l'air sévère et effrayé à la fois, elle lui posa une question dont il saisit le sens. Il chercha une réponse, paniqua, leva les mains pour la rassurer.

La visiteuse, persuadée d'avoir affaire à un voleur, s'affola et sortit précipitamment dans le couloir en poussant l'enfant devant elle afin d'appeler de l'aide. Il hésita : devait-il tenter d'expliquer sa présence ? Non, elle ne pourrait rien comprendre et il passerait pour un dément. Alors, sans réfléchir, il se précipita hors de la pièce. La femme tenta de lui barrer le passage, l'enfant derrière elle. Il voulut l'écarter de son chemin. Mais l'élan conjugué à la panique le conduisirent à la repousser trop violemment, et la visiteuse heurta le mur. Dépité et honteux, Noam se précipita vers elle pour l'aider à retrouver l'équilibre mais, persuadée qu'il allait l'agresser, elle hurla. Les yeux de Noam rencontrèrent ceux du petit garçon et il se sentit désolé d'y déceler de la peur.

Quand il entendit des portes s'ouvrir, résonner des bruits de pas, il s'élança dans le couloir, dévala les escaliers. Parvenu au rez-de-chaussée, il reprit une allure normale afin de ne pas attirer l'attention. Et, une fois dehors, il se remit à courir pour atteindre une artère bondée de touristes. Là, enfin, il se remit à marcher et se mêla à la foule. La surprise, la course, la peur avaient affolé son rythme cardiaque et la sueur gouttait sur son visage, dégoulinait dans son dos, collait ses vêtements à sa peau. Noam respira profondément, tentant de recouvrer son calme. Il déambula ainsi durant plusieurs minutes puis héla un taxi auquel il donna l'adresse de sa résidence.

*
* *

Cette histoire prenait une tournure insensée. Noam se sentait ridicule, perdu au milieu d'une histoire à laquelle il ne comprenait rien, dont il ne maîtrisait aucun événement. On l'avait pris pour un voleur. Et de frissonner à l'idée de ce qui aurait pu arriver si quelqu'un l'avait stoppé dans sa fuite. Qu'aurait-il expliqué aux policiers ? Personne n'était prêt à croire à ses improbables explications. Il songea à cette pauvre femme, sans doute fille ou parente du professeur italien, qui, déjà marquée par la douleur de voir s'éteindre un être cher, croyait avoir échappé aux griffes d'un détrousseur de vieillard. Il revit le regard effaré du petit garçon, se demanda s'il s'était remis de sa frayeur. Peut-être pourrait-il adresser une lettre à l'hospice afin de s'excuser ? Non, mieux valait en rester là. Assez de bêtises ! Cette mystérieuse enquête le conduisait à agir en dépit du bon sens. En outre, il n'avait rien appris sur cet homme, ou si peu. Rien en tout cas qui puisse éclaircir l'énigme proposée par Sarah. Pis, à cause de son attitude irréfléchie, impossible désormais d'enquêter sur le vieux philosophe, du moins pas sur place. Rentrer à Paris et réfléchir à la suite s'imposait.

*
* *

Le lendemain, à peine arrivé, il se rendit au bureau. Samy se trouvait en rendez-vous et Noam en profita pour interroger Google en utilisant les rares informations découvertes dans le portefeuille du vieil homme. Le moteur de recherche lui proposa de nombreux sujets et articles.

Filippo Luzzato était considéré comme l'un des penseurs italiens les plus éminents de son époque. Durant la guerre, il s'était opposé à la dictature mussolinienne et avait rejoint la résistance. À l'âge de seize ans ! À la libération, il avait entrepris des études de philosophie durant lesquelles la pertinence de sa pensée fut remarquée et appréciée. Il avait ensuite obtenu un poste de professeur dans cette discipline. Prônant les vertus d'une critique optimiste, il transformait ses cours en débats si vifs et cordiaux que ses étudiants lui vouaient une admiration sans borne. Contre laquelle il s'insurgeait, arguant que de tels sentiments s'apparentaient à de la dévotion et représentaient la mort de l'esprit critique. Auteur de nombreux ouvrages tenus pour essentiels, il avait mentionné dans de nombreuses chroniques l'importance de son attachement à sa famille et à ses proches. À ses yeux, un philosophe ne pouvait pas se contenter de penser le monde. Il devait faire de son existence une « représentation vivante de la force de sa pensée ». Filippo Luzzato refusait en outre les nombreuses sollicitations à participer à des colloques, à donner des conférences, à parcourir le globe, préférant se consacrer aux siens et ne pas attiser « l'esprit de Cour » que suscitait, à notre époque, toute forme de notoriété.

Quelques articles relataient aussi la récente dégradation de la santé du célèbre philosophe, rappelant qu'il avait, au cours de sa vie, déjà vaincu une leucémie, s'était relevé d'une crise cardiaque et avait fini par abandonner l'enseignement et l'écriture pour passer ses vieux jours à s'occuper de ses petits-enfants. Un papier, plus récent, annonçait son entrée dans une maison de repos médicalisée. Selon le journaliste, le vieil homme était mourant. De nombreux anciens élèves venaient à son chevet lui témoigner l'affection qu'ils lui vouaient.

Alors qu'il restreignait ses recherches aux derniers jours, Noam fut bouleversé de trouver un article paru dans *Il Corriere de la Sierra* ce matin même.

INCIDENT À LA CLINIQUE DONNA MARIA
Un voleur s'introduit dans la chambre
du célèbre professeur Filippo Luzzato

Un homme s'est introduit dans la chambre du philosophe Filippo Luzzato, hier après-midi, alors que Martina, sa belle-fille, avait quitté la pièce pour aller se désaltérer avec son fils. À son retour, celle-ci a surpris un individu d'une quarantaine d'années en train de fouiller les affaires de son célèbre beau-père.

L'homme a alors violemment bousculé Martina avant de prendre la fuite sans avoir eu le temps de commettre son larcin. Admirateur en quête d'un souvenir du professeur ou simple voleur ? Pour Martina, aucun doute n'est possible sur les intentions de l'homme. « Il avait le regard d'un fou ou d'un drogué en manque. Il m'a brutalisée et, si je n'avais pas crié, sans doute m'aurait-il fait du mal. J'ai surtout eu peur pour mon fils », a-t-elle confié à notre reporter. L'indignation de la famille, des proches et des élèves du professeur était grande hier. « Le professeur Luzzato ne mérite pas ça. Il a guidé de nombreuses personnes sur les voies de la sagesse et sa pensée a éclairé toute une génération », a déclaré M. Di Vitta, son secrétaire. La direction de l'hospice a annoncé qu'elle renforcerait ses contrôles à l'entrée. La police a dressé un portrait-robot de l'homme et promis d'enquêter sérieusement.

*
* *

Noam perdit pied. Son irresponsabilité l'avait conduit à heurter la sensibilité des proches d'un vieillard mourant. On le prenait pour un illuminé, un drogué. Sa course contre la mort l'avait-elle autant métamorphosé ? Enfin, l'idée que la police soit à sa recherche lui parut folle et inquiétante. Et il se sentait honteux d'avoir manqué de respect à un homme dont la vie avait été exemplaire, dont les mérites paraissaient grands. Il était une tache sur un chemin immaculé.

*
* *

— Ah, te voilà ! Où étais-tu passé ? lança Samy en entrant dans le bureau. J'ai cherché à te joindre ce week-end.

— Je me suis simplement reposé.

— Je t'ai laissé un message, tu aurais pu rappeler !

— Oui, désolé.

— Qu'est-ce qu'il t'arrive ? Tu as l'air tout chose...

— Non, rien, tout va bien.

— Bon, ton rendez-vous est arrivé.

Noam jeta un coup d'œil à son agenda. Il devait en effet rencontrer Denis Dutertre, directeur de la société de confection Dutertre Style, un ancien fournisseur, et lui proposer de renouer leurs relations commerciales grâce au dossier Baram.

L'homme entra d'un pas décidé, affichant un sourire commercial. Il tendit une main ferme.

— Je suis heureux de vous revoir, monsieur Beaumont, dit-il. Il y a bien longtemps que nous n'avons pas travaillé ensemble.

— Nous allons peut-être parvenir à rétablir notre collaboration, répondit Noam en dissimulant son scepticisme.

— Je l'espère, rétorqua l'homme, jovial.

Noam nota des signes de fébrilité chez son interlocuteur. L'homme devait avoir près de cinquante ans. Il dirigeait une entreprise possédant deux unités de production : l'une dans la Loire, l'autre au Maroc. Dans la première, on confectionnait des petites séries de qualité pour de grandes marques. Dans la seconde, des vêtements en grande série, d'une qualité moindre. Ils avaient travaillé ensemble pendant quelques années puis, l'entreprise n'étant pas parvenue à s'aligner sur le prix des produits asiatiques, Noam avait cessé de recourir à ses services.

Noam entreprit de décrire le cahier des charges. Au fur et à mesure qu'il détaillait les spécifications, le visage du visiteur se décomposait.

— Pensez-vous être capable de répondre à ma demande ?

— Vous me demandez quelque chose d'impossible, s'émut M. Dutertre. Pour la fabrication et les délais, je peux y arriver. Il suffit que nous nous organisions différemment et que les salariés fassent des heures supplémentaires. Mais tout ça coûte cher, vous le savez ! Il sera impossible de nous ranger sur les tarifs que vous m'annoncez. Je ne vous cacherai pas que mon entreprise connaît une situation difficile à cause de la crise. Je suis donc prêt à réduire notre marge de manière substantielle. Mais, à vos conditions, je perdrais de l'argent.

Noam éprouva de la compassion envers cet homme. Depuis son appel, le patron de Dutertre Style s'était sans doute réjoui de renouer des relations commerciales avec ce client ingrat, envisageant cet entretien sous les meilleurs auspices, s'imaginant sauvé. À coup sûr, il était arrivé plein d'un espoir déjà mûrement ancré en lui. Et tout s'écroulait. On voulait lui passer la corde au cou. Sur son visage Noam put déceler la débâcle des sentiments.

— Réfléchissez, conseilla-t-il, en se levant, pressé de couper court au malaise qui le gagnait. Peut-être trouverez-vous des solutions.

L'homme, hypnotisé par ses sombres pensées, le suivit jusqu'à la porte, se força à sourire et à lui tendre la main.

— Je vous rappelle, murmura-t-il avant de partir.

Dès qu'il fut seul, Noam exprima sa colère en tapant le mur de ses mains.

— Métier de merde ! hurla-t-il.

*
* *

De retour dans son appartement, Noam se précipita vers son ordinateur pour chercher d'autres articles concernant le vieil Italien. Il découvrit des passages de ses essais traduits en français, des commentaires élogieux de ses pairs.

L'une des thèses du professeur affirmait que l'esprit de résistance existait en chacun de nous. Mais la modernité l'avait anesthésié, ou détourné des vrais combats, pour le réduire à sa forme la plus neutre et la plus inoffensive : la compassion. Laquelle constituait le ressort sur lequel les possédants, les *spin doctors* et les médias faisaient le lit de leur pouvoir. Pour lui, les valeurs fondamentales avaient été dévoyées. Perdus au milieu d'une société en perpétuel mouvement, les hommes ne disposaient plus que de leurs émotions pour les guider. Les médias, aux mains des élites, diffusaient des modèles destinés à soumettre chacun au règne de la compassion. Toutes les émissions n'avaient-elles pas pour objectif de créer de l'émotion, de tirer des larmes aux téléspecta-

teurs, de leur faire croire que seuls les sentiments comptaient ? Les journalistes jouaient le
même jeu. Leurs écoles formaient des petits
soldats de l'information qui, au détriment du
discernement, cherchaient le sensationnalisme,
le sentimentalisme, se rangeaient du côté de
ceux qui pleuraient le plus. À en croire le professeur, la grande manipulation consistait à
conduire les hommes à juger le monde à travers leurs émotions et non leur raison. Or, les
sentiments, d'après lui, devaient être confinés
à la sphère privée. L'homme devait se
construire chez lui, auprès des siens, de ses
amis, en faisant prévaloir le sentiment sur la
raison. L'amour relevait du privé.

« L'amour doit construire chaque être
humain, chaque foyer avant d'avoir la prétention de construire le monde », écrivait-il.
Hélas ! le jeu était tronqué. Les familles se déli-
taient, l'amour fuyait les foyers et les hommes
allaient le quémander ailleurs. Or, quand il s'agissait de porter un regard sur la société, il revenait
à la raison de reprendre ses droits et de primer
sur les émotions. L'esprit de résistance, à notre
époque, caractérisait la capacité à lutter contre
le dévoiement de ce rapport tournant au profit
des élites dirigeantes, lesquelles n'utilisent que
leur raison pour manipuler les masses. Et
d'ajouter que les hommes devaient se construire
au sein de leur foyer, de leurs environnements
familiers, amicaux. Mais aussi en se recon-
nectant à leurs valeurs, à leur terre, à leur histoire. Leur équilibre retrouvé, ils découvriraient
la possibilité de comprendre le monde et de
mener un combat politique digne de ce nom.

Noam éteignit son ordinateur et considéra ces théories avec d'autant plus d'intérêt qu'elles le renvoyaient à ses propres interrogations. Avait-il construit sa vie ? Renoncé à ses valeurs ? S'intéressait-il lui-même réellement au bonheur des siens ? Et quelle part prenait-il au combat politique et social de son époque ?

Les réponses, évidentes même s'il n'osait les formuler mentalement, menaçaient de gifler sa conscience.

Brusquement, il eut l'impression d'être passé à côté d'une information essentielle. Il se creusa la tête, revit les derniers événements, repensa aux articles dénichés sur le professeur, mais n'élucida pas cette dérangeante intuition.

Il se perdait dans ses doutes quand l'ordinateur lui signala l'arrivée d'un e-mail.

Au coin de l'écran, une fenêtre apparut.

De : Sarah
Objet : 3e personne

Sans hésiter, cette fois, il ouvrit le message.

Cristian Nagy, Almos utca 35, Budapest.

*
* *

Noam arpentait son salon, une cigarette à la main. Les événements s'accéléraient. Il venait à peine de rentrer de Rome, n'avait pas réussi à faire le lien entre les deux personnes précédentes et lui, et déjà une nouvelle piste s'offrait à lui. L'histoire virait au rocambolesque, au cauchemar. La quête se révélait trop fastidieuse, toujours plus incompréhensible. Ne l'avait-elle pas propulsé au cœur d'une histoire à laquelle il n'appartenait pas ? Or, il se sentait trop fragile pour aborder le nouveau chapitre proposé par Sarah. Ne risquait-il pas d'aller au-devant de nouvelles déconvenues ? Ces visites ne lui apprenaient rien. Elles le plongeaient juste un peu plus à chaque fois dans un trouble toujours plus grand.

*
* *

Le téléphone sonna. Aurore venait aux nouvelles.

— Quand es-tu entré de Rome ?

— Hier soir.

— Alors ? Raconte.

Il eut envie de refuser, de remettre la discussion à plus tard, n'éprouvant aucun désir de lui révéler à quel point il avait été stupide et irresponsable. Mais il ne se sentit pas le courage de faire cet affront à celle qui, depuis le début, s'inquiétait pour lui, s'intéressait à ses soucis.

— Eh bien… si ce que Sarah dit est vrai, je n'ai, au plus, que quelques semaines à vivre.

— Belle amorce, concéda-t-elle, tu as le sens du suspense.

Noam détailla rapidement ce qu'il avait découvert.

— Mouais... OK, si on accorde du crédit à ce que prétend Sarah et si, par ailleurs, on prend ses propos au pied de la lettre, tu as en effet peu de temps pour rédiger un testament. Mais nous n'en sommes pas là, n'est-ce pas ?

— Bien entendu, marmonna Noam.

— Je suis en train de le googleliser ton fameux professeur. Voilà, j'ai sa bio.

— Je n'ai trouvé aucune relation entre lui et moi.

— Tu as fouillé ?

— J'ai lu une partie de ce que les moteurs de recherche ont bien voulu me proposer. Il n'existe aucune relation entre sa vie et la mienne. Je ne suis pas lié à sa famille, notre histoire n'a rien en commun, nous évoluons dans des pays et des univers très différents. Nous n'avions aucune chance de nous rencontrer si Sarah ne m'avait pas envoyé chez lui.

— Étrange.

— J'ai également fait une connerie, annonça-t-il.

— Tu l'as tué pour défaire le sort ? plaisanta Aurore avant de se reprendre. Pardon, c'est une mauvaise blague. Allez, explique-moi.

Il relata l'incident à la clinique.

— Tu dérapes, Noam, asséna Aurore, soudain préoccupée. Tu as failli te retrouver dans une situation compliquée.

— Oui, je n'aurais jamais dû fouiller ses affaires. Je ne sais pas ce qui m'a pris, ça ne me ressemble guère.

— Bon, ça va... Il n'y a pas de délit majeur ! Mais, fais attention : cette aventure perturbante peut facilement te perdre. La seule manière de l'aborder est de ne pas t'écarter de ce que tu es.

— Tu postules pour le rôle de directrice de conscience de Noam Beaumont ?

— Non, je préfère occuper ton inconscient et, ainsi, me donner la possibilité de venir hanter tes nuits, s'esclaffa-t-elle.

Noam, préoccupé, ne réagit pas.

— Bon, OK, ce n'était pas drôle, mais tu aurais pu, au moins, faire semblant, se plaignit Aurore.

— Excuse-moi, je n'étais pas attentif. J'ai l'impression qu'un fil menant au sens de ce parcours s'est présenté à moi et que je n'ai pas su le voir.

— Alors, prends ton temps. Redéroule toute l'histoire, visite à nouveau les pages Internet que tu as lues, note ce qui t'intrigue et tu retrouveras peut-être le début de la pelote.

— Je ne sais si j'en aurai le temps car… j'ai reçu un autre message de Sarah.

— Déjà ? Et où te suggère-t-elle d'aller, cette fois ?

— À Budapest.

— Budapest ? À mon avis, ta Sarah travaille pour un tour opérator spécialisé dans la visite des capitales historiques. Es-tu lié, d'une manière ou d'une autre, à cette ville ?

— Non. Enfin… le même lien que pour Rome. Mon père est d'origine italienne et ma mère avait des racines hongroises. Mais, dans les deux cas, je n'ai aucune famille dans ces pays-là.

— Et… tu vas y aller ?

— Le fait que les deux précédentes visites ne m'aient rien appris ne m'y encourage pas. Mais, ai-je encore le choix ?

— Bien sûr, Noam ! Arrêter est encore possible et si tu continues, il faut t'interroger sur l'objet de ta quête. Durant tes deux premières visites, tu as cherché à établir un rapport entre toi et chacune de ces personnes. Mais sans doute te trompes-tu ? Qui sait si le message ne te sera pas révélé au terme de ton périple ? Qui sait s'il ne tient pas dans le lien qui unit ces personnes entre elles ?

— Réflexions judicieuses, admit Noam.

— Quand pars-tu ?

— Je ne sais pas, ça devient compliqué de gérer ces déplacements... Vendredi prochain, sans doute.

— Je pense à un truc... Je réalise un dossier sur l'utilisation des cellules souches dans le traitement de la leucémie. Or, une équipe de scientifiques hongrois a publié le résultat de ses recherches sur ce thème récemment. Je pourrais aller les interviewer et en profiter pour t'accompagner !

La proposition embarrassa Noam autant qu'elle le toucha. Convaincu que cette démarche devait être personnelle, il craignait qu'Aurore le gêne. Cependant, il n'osa le lui dire et se rangea à l'idée que sa présence l'empêcherait de s'égarer et commettre de nouvelles erreurs.

— Oui, pourquoi pas ?

— Quel enthousiasme ! Bon, on en reparlera, conclut Aurore, quelque peu agacée.

— Non, c'est juste que... tu te préoccupes trop de moi.

— Pas du tout ! Je ne pense qu'à moi. Même si je suis de plus en plus sceptique, ton aventure reste intéressante. Et, de plus, Budapest étant la ville des amoureux, j'essaie de m'offrir une chance de te séduire.

— Vu comme ça...

*
* *

Le soleil baignait les rues parisiennes, révélant les lignes majestueuses des immeubles haussmanniens et les couleurs bigarrées des tenues d'été d'une foule grouillante et indolente. Assis à la terrasse d'un restaurant de la rue Montorgueil, Noam repéra sa sœur et lui adressa un signe de la main. Elle se fraya un passage entre les tables pour le rejoindre. Il la trouva belle, comme toujours. Une beauté fraîche et sereine qui l'éblouissait à chaque rencontre.

— Pourquoi me regardes-tu comme ça, demanda Élisa en l'embrassant.

— C'est un regard admiratif.

— Et partial. Où te cachais-tu ces jours-ci ? Tu n'es pas passé à la maison et n'as même pas répondu à mes appels.

— J'avais du boulot.

— Ah... j'espérais que tu m'annoncerais avoir passé du temps avec une femme formidable.

— Cesse de te soucier de ma vie sentimentale et préoccupe-toi plutôt de la tienne, rétorqua Noam.

— Ma vie est suffisamment remplie en ce moment pour que j'aille m'embarrasser d'un homme.

Ils passèrent commande.

— Comment va Anna ?

Élisa raconta les dernières anecdotes au sujet de sa fille et son frère rit de bon cœur.

— Alors ? As-tu trouvé une solution pour les vacances ? s'enquit-elle.

Noam haussa les épaules.

— Non, pas encore. Mais, j'espère au moins passer le week-end du 15 août.

— Noam, excuse-moi d'insister mais je me fais vraiment du souci pour toi. Je sais d'avance ce que tu vas me répondre : tout va bien, tu sais ce que tu fais, tu gères. Cependant, ces derniers temps, tu n'es plus le même. J'ai l'impression que tu dérives, que tu t'éloignes de nous.

— C'est faux, je suis juste...

— Arrête ! l'interrompit Élisa en levant la main. Je te connais mieux que quiconque. Et je sais que tu es préoccupé, ennuyé, plus même, bizarre.

Que dire ? Mentir encore ? Noam préféra détourner son attention.

— En fait... j'ai rencontré quelqu'un.

La confidence eut l'effet escompté. Sa sœur se figea, posa sa fourchette et attendit la suite.

— Samy et Claire m'ont présenté une femme. Elle s'appelle Aurore. Elle est jolie, sympa, attentionnée.

— Mais c'est génial ! Pourquoi ne m'en as-tu pas parlé avant ?

— Parce qu'il n'y a rien de vraiment concret entre nous.

— Vous ne sortez pas ensemble ?

— Non. Nous nous sommes vus quelques fois et nous nous téléphonons. Mais nous partons le week-end prochain à Budapest.

— Bravo. Ça, c'est nouveau et positif. Tu prends le temps de la connaître, de l'apprécier... Voilà une marque d'intérêt... Et tu l'emmènes en voyage avec toi dans une ville romantique... Oui, j'aime bien ce début d'histoire.

— Ne t'emballe pas. Il s'agit d'un tout petit week-end ; même pas trente-six heures.

— Et alors ? On s'en fout ! Pour moi, l'important est que tu oses voyager avec cette femme... J'aimerais tellement te voir amoureux. Ça ne t'est pas arrivé depuis Julia.

— Et encore... était-ce vraiment de l'amour ? J'étais jeune, je souffrais d'un manque d'affection...

— Oh non ! Ne gâche pas tes souvenirs par tes sempiternelles considérations négatives. N'oublie pas que j'étais là et que je t'ai vu te transformer en amoureux éperdu.

— OK. Mais j'ai souffert. Elle ne m'a jamais rappelé, n'a même jamais cherché à savoir ce que je devenais.

— Toi non plus ! Vous étiez deux imbéciles minés par leur idéalisme. Et, pour moi, c'est la cause de ton fiasco sentimental : tu as toujours évalué tes sentiments à l'aune de la force de ceux que tu avais éprouvés alors. Essaie maintenant d'oublier le passé et aborde ta nouvelle histoire sérieusement. Et ne compare pas ces deux filles ou tes sensations d'avant avec celles d'aujourd'hui.

— Je tâcherai de me rappeler de cette belle vérité au moment où je poserai mes lèvres sur celles d'Aurore, plaisanta Noam.

— Non, c'est au moment où tu te réveilleras près d'elle qu'il conviendra d'être enfin honnête avec toi-même.

Comment font certains hommes pour appréhender ce qui est juste, entrevoir la frontière entre le bien et le mal, être sûrs de ce qu'il convient de faire ou pas ? Je ne parle pas de ceux qui confondent la superficialité de la vie avec la vie elle-même et pensent que le sens de l'existence est à trouver dans la jouissance des biens de ce monde. Non, je pense à ces hommes qui, forts de leurs valeurs, dirigent leurs jours en gardant le cap sur un horizon capable de révéler les vérités après lesquelles ils courent. Ceux-ci ne transigent pas, restent fidèles à leurs idées, les défendent, les développent et avancent avec la certitude d'avoir raison.

Pour me consoler de ne pas être de ceux-là, je me suis toujours fait croire qu'ils avaient acquis leur verticalité dans l'équilibre d'une enfance épanouie, grâce à une famille capable de leur dire, à travers une relation d'amour, qui ils étaient.

C'est d'ailleurs ce que défend le professeur Luzzato dans ses écrits : se construire à l'intérieur d'un foyer pour se diriger intelligemment dans le monde. Mais la règle n'est pas immuable. Sa biographie le démontre. L'homme a connu une enfance difficile puis a vu les siens partir vers les camps, a voué sa jeunesse à résister contre l'oppresseur. Or, il a tiré sa force de ses souffrances et sa pensée de leurs enseignements.

C'est en cela que nous sommes différents : quand je trouvais dans mes épreuves des raisons

*de refuser d'entreprendre le monde, lui puisait
dans les siennes la force de penser son époque,
d'établir des idées capables d'entraîner les
hommes dans son sillage.*

*Et cette prise de conscience menace les fonde-
ments même de ma personnalité. De sorte que,
plus j'avance dans cette quête, plus le brouillard
s'épaissit.*

*Une souffrance plus intense me menace-t-elle
au terme de ce chemin ?*

La voix de Denis Dutertre tremblotait.

— Je n'y arrive pas, monsieur Beaumont. Les conditions que vous m'imposez ne nous offrent aucune possibilité de travailler avec vous tout en gagnant notre vie.

L'émotion avec laquelle le fournisseur s'exprimait toucha Noam et il se sentit minable de l'avoir plongé dans un tel désarroi.

— À quel prix pensez-vous pouvoir satisfaire mes exigences ?

— Pas à celui annoncé, répliqua l'homme. Aucune entreprise française ne les accepterait d'ailleurs, je vous l'assure. À moins de travailler à perte. Ce que je ne peux pas me permettre. J'ai licencié la moitié du personnel ces derniers mois et...

— Quel prix de vente vous permettrait d'honorer ma commande tout en réalisant un bénéfice intéressant ?

Le directeur de Dutertre Style hésita à répondre, se demandant si la question recelait un piège.

— Vingt-cinq pour cent de plus que ce que vous souhaitez, finit-il par dire. Vous voyez... le deal est impossible.

— Envoyez-moi une proposition trente pour cent supérieure au prix indiqué sur le cahier des charges.

— Je ne comprends pas, bafouilla le fabricant... vous accepteriez de...

— De reconsidérer mes conditions, oui.

Il sentit son interlocuteur s'agiter à l'autre bout du fil.

— Et ajoutez des clauses vous couvrant en termes de renonciation au contrat, précisa Noam.

Quand il raccrocha, Samy l'observait, circonspect.

— Ai-je bien saisi ce que tu as fait ? demanda ce dernier.

— Reste en dehors de ça, Samy, intima fermement Noam.

— De quel dossier s'agissait-il ?

— Aucun de ceux auxquels tu es associé. Alors, je t'en prie : ne t'en mêle pas.

— Je ne sais pas à quoi tu joues mais...

— Samy, s'il te plaît ! s'écria Noam.

Il comprit qu'il ne fallait pas insister.

— Tu m'inquiètes, Noam, marmonna-t-il seulement.

— Oui, je sais. Tout le monde s'inquiète pour moi. Pourtant, vous devriez vous réjouir de me voir enfin mettre ma vie en accord avec mes principes.

Chapitre 12

Aurore portait une tenue élégante et décontractée à la fois. Elle vint à la rencontre de Noam, souriante, lumineuse, attirant le regard des hommes présents au comptoir de la compagnie aérienne Malev.

— Prêt pour notre week-end en amoureux ? rit-elle en l'embrassant.

— Prête à supporter un homme dont la raison vacille ? rétorqua Noam sur le même ton ironique.

— Si je suis la cause de ce trouble, sans aucun doute !

— Quand dois-tu rencontrer ton équipe de chercheurs ?

— Demain à midi. Et toi, comment as-tu organisé l'entrevue avec ton compagnon de misère ?

— Je n'ai rien préparé. Je pensais que nous pourrions nous rendre chez lui dès l'arrivée. Nous n'avons pas beaucoup de temps. Là-bas, j'improviserai.

— Es-tu sûr ? dit Aurore sérieusement. Ta dernière improvisation ayant failli te conduire en prison, mieux vaut me laisser envisager les solutions, tu ne crois pas ?

— Ai-je le choix, répliqua-t-il en exagérant sa résignation.

— Oh, si tu te montres aussi docile tout le week-end, je pense que l'on va s'amuser !

*
* *

L'hôtel avait cet aspect prospère et suranné qu'ont parfois les vieux palaces dont le souci est de conserver leur authenticité. Ils avaient pris possession de leurs chambres respectives. Des pièces assez larges, hautes de plafond, dont le mobilier en bois massif, les épaisses tentures aux couleurs chatoyantes et les immenses lustres en cristal renvoyaient à une définition du luxe plutôt désuète.

Ils s'étaient rafraîchis, avaient rapidement dîné au restaurant de l'hôtel avant de sauter dans un taxi, une Skoda rutilante, pour se rendre à l'adresse indiquée par Sarah. Noam ne voulait pas perdre de temps, trépignait d'impatience à l'idée de rencontrer la troisième personne. Le taxi traversa les collines résidentielles de Buda et ils purent entrapercevoir une partie de l'éclat de cette ville mythique, ses quartiers médiévaux, ses bâtiments baroques. La voiture s'arrêta devant une maison individuelle cossue entourée d'un jardin parfaitement entretenu.

Devant le portail en fer forgé, Noam et Aurore lurent le patronyme inscrit sur la boîte aux lettres.

— Je ne suis pas spécialiste de la langue, mais il semble que ce soit ici, confirma la journaliste en actionnant la sonnerie d'une main résolue.

— Tu as un plan ? questionna Noam surpris de la voir passer à l'action aussi rapidement.

— Oui, nous sommes des journalistes français réalisant une enquête sur le mode de vie des Hongrois, annonça-t-elle, amusée par l'agitation de son complice.

Une femme sortit alors du pavillon et se dirigea vers eux. Elle devait avoir un peu plus de quarante ans et possédait un port de tête altier. Ses cheveux noirs coupés au carré encadraient un visage aux traits exprimant une extrême amabilité. Aurore prit la parole.

— Vous parlez anglais ?

La femme répondit par l'affirmative en dévisageant ses visiteurs. Leur apparence sembla lui convenir.

— Êtes-vous madame Nagy ? reprit Aurore en montrant le nom inscrit sur la boîte aux lettres.

— Oui, en effet, en quoi puis-je vous être utile ?

— Je suis désolée de vous déranger. Nous sommes journalistes français et faisons une enquête sur le mode de vie des Hongrois depuis la chute du communisme.

Pour accréditer ses dires, elle plongea la main dans sa poche et exhiba sa carte de presse.

— Ah ? Quelle drôle d'idée, répliqua la Budapestoise, en observant le document. Le sujet intéressait les médias après les élections démocratiques de 1990, mais il me paraissait depuis éculé.

— Au contraire, rétorqua Aurore, sûre d'elle.
Le sujet a l'ambition de porter un regard sur
les conséquences du changement de régime
après tant d'années.

— Et vous souhaitez m'interroger ?

— Oui. Enfin vous, votre mari.

— Mais... pourquoi nous ?

— Le hasard ! s'exclama la Française en
riant. Enfin, pas tout à fait. Ce quartier possède
une histoire. Le fait qu'il ait été construit dans
un style britannique nous a attirés et nous nous
sommes dit qu'il y avait peut-être une volonté
des habitants d'adopter un style de vie occiden-
tal. Quand le taxi s'est arrêté devant chez vous,
nous y avons vu un signe du destin.

— Vous avez raison, répondit-elle, nous
avons emménagé dans Werkele pour l'architecture anglaise des maisons. Elle confère au lieu
une atmosphère particulière. Mon mari et moi
apprécions les cultures française et britannique. Votre article est destiné à un magazine
parisien ?

— Tout à fait.

La Hongroise parut flattée d'être ainsi sollicitée.

— Mais mon mari n'est pas encore rentré.

— Nous pourrions commencer sans lui, proposa Aurore. Si toutefois cela ne vous dérange
pas.

L'élégante interlocutrice leur sourit.

— Non. Je trouve même cela assez excitant.
Mon mari et moi vouons à la France un véritable culte. Vous allez nous prendre en photo ?
ajouta-t-elle à l'adresse de Noam jusqu'alors
silencieux.

Celui-ci chercha une réponse. Que dire ? Ils ne disposaient pas d'appareil.

— Oui, réagit Aurore en montrant son Smartphone. Ces petits appareils font des merveilles.

— Eh bien, suivez-moi, invita-t-elle, enjouée.

Aurore donna un coup de coude à Noam.

— Il va falloir que tu te décides à parler.

Ils la suivirent à travers le jardin parfaitement entretenu au milieu duquel se trouvait un terrain de jeu.

— Vous avez des enfants ? questionna Noam.

Aurore tourna le visage vers lui en affichant une moue faussement admirative.

— Quelle perspicacité, chuchota-t-elle moqueuse.

— Oui, cinq enfants, répondit leur hôtesse.

— Cinq ? s'exclama Noam. Mais vous paraissez si jeune.

Le compliment la flatta.

— Ah ! la délicatesse des Français, s'exclama-t-elle en riant. Est-il vrai que les hommes sont tous comme ça à Paris ?

— Non, c'est un cliché. Mon collaborateur est l'un des derniers représentants d'une espèce en voie de disparition.

— Garçons ? Filles ? relança Noam, poursuivant son idée.

— Trois garçons et deux filles. Le plus âgé a dix-huit ans, le plus jeune cinq.

— Comment s'appellent-ils ? interrogea Noam, voulant vérifier si Cristian était l'un d'eux.

Il avait tenté de donner à sa question la tonalité d'une conversation polie mais son anxiété la voila. Mme Nagy ne le remarqua pas et répondit avec enthousiasme.

— Dans l'ordre d'apparition sur la scène de notre vie : Adrian, Elek, Lika, Gabriella et Laszlo. Et moi, c'est Elena.

Elle les fit entrer dans le salon, les invita à s'asseoir sur un canapé de style anglais et disparut quelques minutes à la cuisine pour chercher des boissons.

Les regards d'Aurore et Noam se croisèrent et celle-ci, d'une mimique amusante, lui fit comprendre qu'elle maîtrisait la situation.

La mère de famille réapparut, les servit et s'installa sur le fauteuil situé face à eux.

— Alors, que désirez-vous savoir ?

— Eh bien, nous aimerions que vous nous racontiez l'histoire de votre vie, tout simplement. Nous réalisons des portraits de famille.

Aurore ouvrit son sac, en extirpa deux carnets et en tendit un à Noam. Elle lui donna également un stylo sans le regarder, comme si le geste s'avérait habituel.

Une jeune fille entra.

— Je vous présente Lika, dit la mère. Et voilà Gabriella, annonça-t-elle quand apparut la deuxième fille.

Elles vinrent embrasser leur mère, saluèrent les invités, échangèrent quelques mots tout en coulant des regards intrigués vers Aurore et Noam.

— Elles étaient invitées à un anniversaire. Les garçons sont avec leur père. Le samedi, ils font du sport ensemble.

— Vos filles sont très belles, s'exclama Noam. Elles vous ressemblent.

— Les garçons aussi, excepté le petit qui tient plutôt de son père.

Les enfants s'éclipsèrent.

— Dois-je commencer à la chute du communisme ?

— Je vous en prie, madame.

— N'hésitez pas à m'appeler Elena et je vous appellerai par vos prénoms si vous le voulez bien.

Elle commença par raconter ses origines bourgeoises car, dit-elle, même sous le régime communiste, des familles vivaient plus aisément que d'autres. Puis expliqua sa rencontre avec Cristian sur les bancs de l'université des Sciences de Budapest. Il étudiait la physique, elle la chimie. Ils étaient immédiatement tombés amoureux, avaient vécu ensemble durant leurs études, sans officialiser la relation pour, minauda Elena, avoir l'impression d'échapper à toutes les conventions.

— D'où venait Cristian ? osa Noam.

— D'un village situé à quelques dizaines de kilomètres de Budapest. Ses parents étant agriculteurs, il avait beaucoup plus de mérite que moi d'être parvenu à faire des études.

Elle évoqua ensuite leur installation dans un petit appartement, à la fin de leurs études. Tandis que Cristian avait trouvé un poste de chercheur dans un laboratoire hongrois, Elena se fit recruter par une entreprise pharmaceutique allemande récemment installée à la périphérie de la capitale. Ces années avaient été magnifiques. Ils étaient jeunes, beaux, gagnaient de l'argent, pouvaient consommer, voyager et s'aimer. Et de confier maintes précisions sur le plaisir de se sentir libres, d'aider leur pays à se construire. Puis, Elena enceinte, ils décidèrent de se marier. Elle cessa de travailler pour s'occuper de leur enfant – attitude très conservatrice, convint-elle, au regard d'Occidentaux, mais qu'elle estimait progressiste dans un état ayant mis femmes et hommes au travail durant des décennies, et avait accaparé l'éducation des enfants. Là encore, elle s'attarda sur la conception que l'ancien régime avait de la famille et de l'éducation, pensant que c'était justement ce qui intéressait ses hôtes.

Noam notait quelques phrases pour se donner une contenance et feindre un intérêt pour le récit qui, pourtant, le décevait. Rien de ce qu'Elena confiait ne pouvait être mis en relation avec sa propre existence ou celle des précédentes personnes désignées par Sarah. Quant aux liens éventuels avec la famille de sa mère, il en savait trop peu sur celle-ci pour les déceler à travers les propos de leur bavarde et sympathique hôtesse.

Puis, la carrière de Cristian évolua. Ses recherches avaient été publiées et il parcourut le monde de colloques en conférences. Elena l'accompagnait. Ils eurent leurs deuxième, troisième et quatrième enfants. Las, Cristian décida de se sédentariser, accepta un poste de professeur de physique et acheta ce pavillon.

— Nous avons alors fait le choix de vivre pour nos enfants, conclut-elle.

— On peut donc affirmer que vous êtes une famille heureuse, sourit Aurore.

— Oui, indécemment heureuse, répondit-elle. Mon mari et moi nous aimons toujours. Et

Cristian, un père fantastique, passe beaucoup de temps avec les enfants. Qui, de leur côté, nous apportent tellement de satisfactions : ils sont adorables et... brillants.

Ce tableau idyllique émut Noam. Mieux, il admirait la force de cette femme, son dévouement, sa dévotion envers les siens. Il se sentit donc gêné de trahir la confiance qu'elle leur accordait en racontant ce bonheur. À coup sûr, elle serait déçue de ne pas voir paraître l'article sur leur histoire.

— Qu'est-ce qui, selon vous, permet à cet amour d'être aussi fort ?

Elena Nagy réfléchit.

— Sans doute le fait de savoir se consacrer aux autres, finit-elle par répondre. Nous avons vécu l'un pour l'autre quand nous étions jeunes. Nous avons sillonné la planète. Nous sommes allés en Afrique, en Inde, aux États-Unis et dans d'autres endroits encore. Nous nous sommes intéressés à toutes les pensées, toutes les religions. Nous avions soif d'apprendre, de découvrir. Mais, quand les enfants sont arrivés, nous avons reporté notre attention sur eux. Dans la transmission réside le secret des familles qui durent. Durant la première partie de notre vie, nous nous sommes enrichis intellectuellement ; la seconde, nous la vouons à l'épanouissement de ceux que l'on aime, de nos enfants.

À ce moment précis la porte s'ouvrit et un homme entra. Grand, athlétique, doté d'un visage aux traits fermes, il dégageait une quiétude et une jovialité qui, sans doute, devaient charmer ceux qui le rencontraient. Il afficha une surprise polie en découvrant son salon occupé par deux inconnus. Elena Nagy se leva avec enthousiasme et se dirigea vers son mari. Ils s'embrassèrent puis elle entreprit de présenter leurs invités en expliquant l'objet de leur visite. Cristian Nagy écouta, souriant, détendu et s'assit près de son épouse.

— Vous savez donc déjà tout de notre vie, s'exclama-t-il avec amabilité.

— Tout de votre amour aussi, rétorqua Aurore.

Cristian haussa les sourcils.

— Ma femme, à ce sujet, a toujours tendance à exagérer. Est-ce la première fois que vous venez en Hongrie ?

— Oui, pour nous deux, il s'agit d'une première.

— Mais ma mère avait des racines hongroises, compléta précipitamment Noam, profitant de l'occasion donnée de vérifier cette piste.

— Ah ? Ses parents ?

— Non, ses grands-parents paternels. Ils vivaient à Debrecen. Leur nom de famille était Jaroka.

Il guetta une réaction sur le visage des Nagy, mais le couple se contenta de hocher la tête.

— Je suis allé à Debrecen à une ou deux reprises rencontrer des chercheurs. C'est une ville dotée d'un pôle scientifique assez important.

— Avez-vous connu des Jaroka ? hasarda tout de même Noam. On dit que le monde est petit, ce serait amusant que nous nous trouvions des origines communes ou des liens !

— Non, répondit Cristian en souriant. Et toi, chérie ?

— Non plus.

Les garçons firent leur entrée. Le petit se jeta sur sa mère et l'étreignit. Les deux grands vinrent serrer la main d'Aurore et Noam. Les voyant faire, Laszlo les imita avec le même sérieux, faisant éclater de rire ses parents.

Elena leur parla un instant et ils sortirent de la pièce.

— Ils vont aller prendre une douche et en profiter pour débarbouiller leur petit frère.

— Ce petit a trois mères et trois pères, en quelque sorte, annonça Cristian.

Noam, ému par ce tableau familial se mit à envier ce bonheur et cet équilibre. Mais, aussitôt, il repensa à la prédiction d'Anna et un malaise le gagna. Était-il possible qu'une si belle harmonie se voit bientôt brisée ? Que deviendraient alors cette mère exemplaire, ces tendres enfants ?

Aurore dut percevoir son désarroi subit et tenta de le ramener à la discussion.

— Noam, as-tu d'autres questions à poser à monsieur ou madame Nagy ?

— Juste une réflexion : connaissez-vous le philosophe italien Filippo Luzzato ?

— Non, s'étonna Cristian. Et toi, Elena ?

— Moi non plus. Pourquoi ?

Leurs réponses déçurent Noam, mais il poursuivit.

— Il vit à Rome et a beaucoup écrit sur le bonheur et la famille. Votre façon de concevoir la vie s'approche assez de la sienne.

— Intéressant, nota le mari.

— Et connaissez-vous Rome ? reprit Noam, d'un ton faussement détaché.

— Nous projetons de nous rendre en Italie fêter les vingt-cinq ans de notre rencontre. J'aimerais aller à Rome, mais ma femme préfère Venise. Et comme je finis toujours par me ranger à son avis...

— La France vous tente également, d'après ce que j'ai pu comprendre, relança Aurore, saisissant l'intention de son ami.

— Nous y avons déjà passé trois jours à l'occasion d'un colloque, voici bien longtemps. Et il est vrai que nous aimerions y retourner. Mais il existe tellement d'endroits où nous rêvons d'aller !

— Et Israël ? reprit trop précipitamment Noam.

— Israël ? répéta Cristian, interloqué. Pourquoi ce pays en particulier ?

— Parce que... j'en reviens. Et... j'ai adoré.

— Il y a tant de pays à visiter ! Une vie n'est pas suffisante, conclut Cristian.

— Peut-être referons-nous des voyages lorsque nous serons retraités, s'amusa Elena.

Aurore interrogea alors Cristian Nagy sur son parcours de physicien. Le Hongrois répondit avec un plaisir évident aux questions expertes de la journaliste.

— Nous allons maintenant vous laisser, finit pas conclure Aurore.

— Vous ne souhaitez pas rester prendre l'apéritif ? proposa Elena.

— Non, merci, c'est gentil, mais nous devons partir. Nous avons d'autres personnes à rencontrer.

— Vous ne faites pas de photo ? s'étonna Elena.

— Mon Dieu, j'oubliais les photos ! Oui, bien sûr. Je vais en prendre quelques-unes de vous deux.

— Et les enfants ?

— Évidemment, ensuite.

Aurore fit poser le couple sur le canapé, puis avec leurs enfants devant l'entrée de la maison. Les voir ainsi réunis, radieux, heureux, émut et troubla profondément Noam. Cette famille lui parut d'un coup doublement victime : du simulacre d'interview, d'une part, ce qui conférait à la scène une dimension grotesque ; du présage de Sarah, si celle-ci disait vrai. En songeant qu'il profitait de leur gentillesse alors qu'un drame les menaçait, il se sentit lâche, minable, vil même.

Puis les Nagy raccompagnèrent Aurore et Noam à la porte.

— Tenez, voici nos coordonnées. Ce serait gentil de votre part de nous faire parvenir l'article et les photos par e-mail, sourit Elena.

— Je n'y manquerai pas, déclara la journaliste.

*
* *

Dans le taxi, Aurore et Noam se turent. Épuisés par leur comédie, troublés par cette tromperie, ils reprenaient lentement leurs esprits.

— Je te remercie, finit par murmurer Noam. Tu as été épatante.

— J'ai simplement joué à la journaliste. Un rôle que je connais. Et ils étaient vraiment accueillants.

— S'ils ne l'avaient pas été, j'aurais eu moins de scrupules à mentir. Cette famille sera déçue de ne pas voir paraître d'article relatant sa belle histoire.

Le taxi les arrêta devant l'hôtel.

— Écoute, nous sommes épuisés. Prenons une douche, reposons-nous un peu puis nous irons marcher dans les rues du centre-ville avant d'aller au restaurant.

*
*   *

Trois quarts d'heure plus tard, ils se retrouvèrent dans l'entrée de leur hôtel. La douche n'avait pas effacé la fatigue et les tourments de Noam mais il tenta de faire bonne figure afin d'offrir à Aurore la soirée qu'elle méritait. Ils longèrent les rives du Danube, séparant les quartiers de Buda et de Pest, traversèrent le pont de Chaînes, s'arrêtèrent devant l'église Saint-Mathias, où l'empereur François-Joseph et la célèbre Sissi avaient été couronnés roi et reine de Hongrie puis, au pied du Bastion des pêcheurs, admirèrent la formidable vue sur Pest et le Danube. Ils rejoignirent ensuite la rue commerçante Vaci pour dîner.

Assis dans un restaurant aux couleurs vives et boiseries aux formes extravagantes, ils commandèrent du goulasch et du poulet au paprika afin de goûter aux spécialités locales.

— Tu dissimules mal ta déception, attaqua Aurore. Je vois bien tes efforts pour paraître détendu.

— Je suis fatigué. Les précédents voyages m'ont épuisé et la rencontre de cet après-midi était éprouvante.

— À certains moments, j'ai cru que tu allais craquer et leur dire les vraies raisons de notre présence.

— J'ai été tenté de le faire, c'est vrai. Mais à quoi cela aurait-il servi ? Ils m'auraient pris pour un dément et je les aurais inutilement inquiétés.

— En effet. D'autant que ce présage me semble de plus en plus ridicule. J'espère que tu en conviens.

— Oui. Enfin, j'essaie de m'en persuader. En fait, je m'en veux terriblement. Je suis incapable de comprendre ce qui m'arrive et ce que je fous au milieu d'une histoire si incompréhensible. Je cours à la rencontre de personnes n'ayant rien en commun avec moi et ce qu'elles me confient ne me concerne pas.

— Tu attendais vraiment de notre visite la révélation d'une vérité ? D'un lien concret entre toi et cet enseignant hongrois ?

— Je... je l'espérais, oui...

— Attention, Noam, tu te prends trop au jeu. Le présage est fumeux. Et s'il existe une relation entre vous, elle doit être sacrément subtile. Je te le répète : je doute fortement des élucubrations de ta thérapeute et des propos de sa soi-disant prophétesse. Reconnais-le : toutes ces rencontres se révèlent clairement inutiles !

— Je veux bien l'admettre. Mais pourquoi m'a-t-elle désigné ces gens ? Comment connaît-elle leur existence, leurs noms, leurs adresses ?

— Exact ! D'ailleurs, c'est, pour moi, désormais le véritable mystère : quel lien existe-t-il entre Sarah et ces inconnus plutôt qu'entre toi et eux ?

Noam acquiesça.

— J'ai tout de même relevé un point commun entre Cristian Nagy et Filippo Luzzato.

— L'importance qu'ils vouent à la famille ?

— En effet. Un indice bien maigre n'est-ce pas ?

Ils n'abordèrent plus le sujet durant le dîner et finirent la soirée dans un pub à savourer du Tokaj dont Louis XIV disait qu'il était « le vin des rois, le roi des vins ». Noam but plus que de raison pour faire taire son anxiété et oublier les familles Weinstein et Nagy. Ensuite, ils décidèrent de revenir à pied vers l'hôtel, afin d'apaiser leurs esprits embrumés par les vapeurs d'alcool. Quand ils arrivèrent dans le couloir menant à leurs chambres, Aurore entraîna Noam dans la sienne.

*
* *

Noam fut tiré du sommeil par les mouvements précipités d'Aurore. Déjà habillée, elle rangeait ses affaires dans son sac de voyage en pestant.

— Désolée, je t'ai réveillé, dit-elle, mais je suis en retard. J'ai rendez-vous avec mon chercheur et je ne veux pas le faire attendre. Il est déjà sympa d'avoir accepté de me rencontrer un dimanche.

Noam regarda sa montre. Onze heures. Puis, les yeux encore brûlés de fatigue, il observa Aurore. C'était une belle femme. Au corps fluide, souple. Ses cheveux humides paraissaient traversés par les rayons dorés du soleil qui entraient par la fenêtre. Il refusa de s'interroger sur les sentiments qu'il éprouvait pour elle. Leur rencontre lui semblait trop récente et les circonstances dans lesquelles leur aventure était née trop étranges pour permettre une quelconque objectivité.

Aurore s'assit sur le bord du lit et balaya de la main la mèche de cheveux rebelle de Noam.

— Voilà ce que nous allons faire. J'ai préparé mon sac mais je me vois mal débarquer au rendez-vous avec. Et je n'aurai sans doute pas le temps de repasser à l'hôtel puisque je dois voir mon chercheur dans un club de golf situé à l'extérieur de la ville. Il y a donc toutes les chances pour que ça dure. Alors, tu prends ton petit déjeuner, tu fais tes bagages et tu me rejoins à l'aéroport à quatorze heures. Ça te va ?

Elle n'attendit pas la réponse, déposa un baiser sur ses lèvres et se leva.

— L'avantage d'un réveil en panique, vois-tu, est d'éviter l'embarras des lendemains d'une première nuit, rit-elle avant de disparaître.

*
*　*

Aurore arriva à l'aéroport dix minutes avant la fin de l'embarquement. Noam l'y attendait depuis plus de trois quarts d'heure. Ils se ruèrent vers le comptoir, présentèrent leurs billets, franchirent sans encombre le contrôle. Une fois dans l'avion, ils se détendirent.

— Quelle course ! J'ai cru que j'allais rater le décollage. D'ailleurs, qu'aurais-tu fait si je n'étais pas arrivée à l'heure ? demanda-t-elle, espiègle.

— J'aurais confié ton sac à un agent de sécurité avant de prendre l'avion. Pour qu'il sache à qui le restituer, j'en aurais extrait la lingerie que tu portais hier et lui aurais dit : « C'est le genre de femme à porter ça. Vous la reconnaîtrez aisément. »

— Salaud.

— Comment crois-tu que j'aurais agi ? J'aurais pris des billets pour l'avion suivant. Alors, comment s'est passé ton rendez-vous ?

— Génialement bien. Cet homme était passionnant. D'où mon retard.

Elle relata les aspects importants de l'interview, expliqua l'importance des recherches du centre que dirigeait le scientifique et les espoirs qu'elles représentaient dans le traitement de certains cancers.

— Bref, conclut-elle, j'étais plus à l'aise que lors de notre visite de la veille. Et ce qu'il m'a raconté m'a paru beaucoup plus intéressant.

— J'ai l'impression que, si l'amabilité des Nagy t'a séduite, l'étalage de leur bonheur t'a contrariée.

— Il ne m'a pas, à proprement parler, contrariée, corrigea Aurore. Disons plutôt que leur vision de la vie m'a agacée. La linéarité de cet amour a quelque chose d'oppressant. La vie doit être ponctuée de crises, de chutes. Il n'y a de beauté que dans l'effort, de réconfort que dans la rémission. En fait, s'aimer de cette manière... j'ai quasiment trouvé cela indécent.

— C'était plutôt beau.

— Beau ? Caricatural, oui !

— Pourquoi ? Il s'agit d'une manière d'aimer et d'être heureux qui en vaut d'autres.

— Eh bien, je tenterai de trouver ces autres ! plaisanta Aurore.

— Ne crois-tu pas que cet amour nous a gênés parce qu'il nous paraissait simplement inatteignable ?

— Mon scepticisme serait donc, pour toi, dû à une sorte de jalousie ? rétorqua-t-elle, intriguée.

— Pour toi, je ne sais pas. Personnellement, cet amour a souligné mon incapacité à construire ce genre de vie. Je n'ai ressenti ni jalousie ni dérision. J'ai juste eu l'impression de ne pas être de leur monde. Et je les ai enviés d'être parvenus à créer une telle harmonie familiale.

— Attends, nous ne savons pas ce que leurs belles paroles cachaient. Lui a peut-être des maîtresses et elle des moments de désespoir durant lesquels elle serait capable de donner une définition pertinente de l'inutilité.

— Ne dénigre pas les Nagy, s'offusqua Noam. De quelle inutilité parles-tu ? De celles dont tentent de se démarquer ces *executive women* éprises de pseudo-liberté, revendiquant leur droit d'être indépendantes, détachées des moindres contraintes familiales et que l'on retrouve, à quarante ans, désespérées de ne pas avoir eu d'enfants ou de ne pas les avoir vus grandir ?

Surprise et touchée, Aurore haussa les épaules.

— C'est comme ça que tu me vois ? répliqua-t-elle, dissimulant mal son agressivité.

Noam s'en voulut de s'être montré si vindicatif. Mais il n'avait pu réprimer l'élan du courroux qui l'avait saisi lorsqu'Aurore avait raillé les Nagy.

— Excuse-moi, murmura-t-il, je ne voulais pas te vexer. Non, je ne te vois pas ainsi. Je te connais mal. Je sais seulement que tu es généreuse, attentionnée et à l'écoute des autres. Mais comprends-moi : je n'ai pas eu la chance de connaître les joies d'une vie de famille épanouie. Les ruptures, les crises, les chutes ont pavé les routes de mon enfance, comme celles de mon adolescence. Et mon incapacité à construire une vie épanouie vient du fait que je ne sais ce qu'aimer veut vraiment dire. Les Nagy m'ont offert une définition de l'amour. Une définition cruelle, car elle souligne mon exclusion, mais belle parce qu'elle me propose au moins un horizon.

— Je ne te savais pas si sensible. Pour moi, ta solitude et ta dérive font ton charme.

— Mes failles sont uniquement les aspérités de mes blessures. Et tout le monde souhaite guérir de ses blessures.

— En somme, je ne suis qu'une petite-bourgeoise attirée par le guerrier blessé ?

— J'ai suffisamment de mal à savoir qui je suis pour parvenir, en quelques mots, à te définir aussi crûment !

Ils perçurent d'un coup la tension qui venait d'émerger et les séparait désormais, sentaient son sournois pouvoir de nuisance.

— Tu sais, pour cette nuit... balbutia Noam.

— Ne sois pas embarrassé. Cette nuit, nous étions deux adultes consentants. Certes, un peu éméchés, mais consentants.

— Je veux être clair avec toi, Aurore...

— Rassure-toi, Noam, je ne revendique aucun droit sur toi ni sur tes sentiments. Nous ne sommes pas deux gamins prêts à jouer aux amoureux. Tu m'intéresses plus que tu ne m'attires. Donc, quoi qu'il arrive cet intérêt perdurera.

Noam lui sut gré de vouloir échapper au conflit et de replacer leur relation sur un terrain neutre.

— Et, quoi qu'il arrive, comme tu dis, sache également que je n'oublierai jamais tout ce que tu as fait pour moi.

— Cette nuit ? ironisa-t-elle.

Ils rirent et Noam lui prit la main et la porta à sa bouche.

— Tu es une fille... spéciale, Aurore.

— Trop spéciale... pour toi, n'est-ce pas ?

Les regrets

Mon esprit flotte dans un espace sans frontière. Il nie celle du temps et de la réalité, s'aventure dans le rêve et considère les souvenirs comme des moments présents. Ceux qui m'entourent attribuent ces divagations à la maladie rongeant mon cerveau. Mais elles étaient déjà mon refuge bien avant.

Que deviendront ces pensées lorsque mon cœur, bientôt, cessera de battre ? S'éteindront-elles aussi ? Resteront-elles hanter ce monde ou voleront-elles jusqu'à l'espace indéfini, régi par les rêves des hommes, leurs espoirs, leurs regrets, où j'ai trop longtemps vécu ?

Je suis de moins en moins souvent lucide et c'est une bonne chose. La lucidité, lumière cruelle, révèle les failles de ma vie, me projette dans mes drames. Elle souligne l'absence de celle que j'ai aimée, mon incapacité à l'oublier, ma démission. Elle éclaire le visage de mes enfants. Celui attendri, indulgent, d'Élisa, et celui, hostile, de Noam.

Élisa prétend que son frère m'a, quelquefois, rendu visite et que je l'ai oublié car mon esprit n'était pas là. Je ne la crois pas. Elle cherche à me ménager. Élisa ressemble à sa mère : la bonté guide ses pensées et ses actes. Noam, lui, est de ma trempe : rebelle, rancunier. Il en veut à la vie de lui avoir imposé trop tôt sa cruauté, m'en veut de ne pas avoir su dépasser ma douleur, de les avoir abandonnés à leur peine, de n'avoir pas su redevenir l'homme et le père que j'étais avant... l'accident. Mais j'en étais incapable. Je me sentais homme uniquement lorsque Angela était ma femme. Quand elle est partie, je n'étais plus qu'une ombre, une tristesse. J'ai cherché l'oubli dans l'alcool et, d'une certaine manière, l'ai trouvé : je me suis oublié.

J'ai voulu préserver mes enfants de la folie dans laquelle je sombrais. Oh ! bien sûr, si j'ose affronter la vérité, force est d'admettre que cette tentative d'instiller de la noblesse dans un comportement indigne, n'est qu'un des multiples mensonges produits par ma lâcheté.

Mais quel père aurais-je été en demeurant auprès d'eux ? Ils ont grandi entourés de l'affection de leurs grands-parents, sont devenus des adultes intelligents, beaux. Moi, jamais je n'aurais possédé la force de les porter jusque-là. Pourtant, le désert sentimental où ils errent, leur incapacité à construire une vie de famille me renvoient à mes regrets. Quelle image de la famille ont-ils pour tendre vers un idéal ? Quelle idée de l'amour pourrait les inciter à dévoiler un jour leurs sentiments s'ils croisaient un jour celui ou celle capable de les combler ?

Je... je... que disais-je ?

Je parlais de mes enfants, je crois... Ou de celle que j'ai aimée ?

Ma vie... ma femme... mes enfants... Je ne sais plus. Mon esprit m'abandonne...

Angela, pourquoi n'avons-nous pas eu le droit de voir notre amour se répandre sur les années de nos vies, prendre le risque de se perdre dans le rythme monotone de l'habitude ? Serions-nous devenus un vieux couple, érodé, au fil des ans, par des sentiments corrompus ? J'aurais, en tout cas, tant aimé prendre le risque d'un jour... moins t'aimer.

Angela... Je viens vers toi. L'espace des espoirs et des rêves m'attend.

L'espace des regrets aussi.

Chapitre 13

Quand il franchit le seuil du bureau, Samy affichait un sourire inquisiteur. Il posa deux tasses de café sur la table de Noam, l'embrassa, prit une chaise et la plaça face à son ami.

— J'écoute, dit-il.

— Quoi ?

— Fais pas le malin. Budapest ?

— Budapest est une ville magnifique. L'architecture de la ville témoigne de son histoire riche et tourmentée. Sais-tu que les Hongrois descendent des Magyars et que, dans le passé...

— Tu vas te moquer de moi longtemps ? Le jour où j'aurai besoin d'informations sur la ville, j'irai m'acheter un guide. Alors ? Oui ou non ?

— Oui ou non, quoi ? Sois plus précis, Samy.

— Êtes-vous sortis ensemble ?

— Oui.

— Super ! Je savais que ça marcherait ! s'enthousiasma Samy. Raconte-moi !

— Quel genre de détails veux-tu, exactement.

— Tu m'emmerdes, Noam. Dis-moi comment ça s'est passé.

— De manière simple. Après une soirée assez sympa et plutôt arrosée, nous nous sommes retrouvés dans sa chambre. Elle m'a embrassé, je l'ai déshabillée et...

— Et le reste ne regarde que vous. Tu es amoureux ? Enfin, je veux dire, tu ressens quelque chose de fort pour Aurore ?

— Je ne suis pas amoureux, non. En revanche... oui, je ressens « quelque chose de fort » pour reprendre ton expression.

— Qui pourrait devenir de l'amour ?

— Non. Plutôt de l'amitié.

Samy fit une moue perplexe.

— Que veux-tu dire ?

— Que nous avons appris à nous apprécier mais que nous avons compris ne pas être faits pour nous aimer.

— Et merde ! s'exclama Samy. Quand tu dis « nous », tu veux dire qu'elle pense la même chose ?

— Oui, je crois qu'elle est arrivée à la même conclusion que moi. Nous avons décidé de faire comme si rien ne s'était vraiment passé, pour continuer à nous voir et à nous apprécier.

— Mais où ça a foiré ? Elle te plaisait, n'est-ce pas ? Et tu lui plaisais, elle l'a dit à Claire. Elle te draguait même !

— Selon moi, le temps passé ensemble lui a permis de réaliser que je ne correspondais pas au type de mec qu'elle attendait. Quant à moi, j'éprouvais seulement une attirance amicale pour elle.

— Amicale ? J'ignorais que ce genre d'attirance pouvait conduire à faire l'amour, ironisa Samy. Il va falloir que je reconsidère notre relation, Noam. Qu'as-tu fait pour la décevoir ? Ne me dis pas que c'est parce que votre nuit s'est mal passée car je ne la vois pas du genre à résumer une relation à ce type de déboires.

— Non, à ce niveau-là, tout allait bien. Mais, après de longues discussions, nous nous sommes rendus compte que nous n'avions pas la même définition de l'amour, de la vie de couple.

— Mais tu n'as aucune idée de ce que l'amour peut être !

Noam repensa aux Nagy.

— Tu te trompes. Claire et toi m'avez offert l'exemple d'un couple uni. Et nous avons rencontré une famille hongroise à la conception de l'amour assez remarquable.

— Vous avez séjourné moins de quarante-huit heures à Budapest et vous avez eu le temps d'apprendre à vous connaître, de découvrir la ville, de faire l'amour, de décider que vous n'étiez pas faits l'un pour l'autre et, en plus, de découvrir une famille exceptionnelle capable de révolutionner ta vision de la vie ?

— Vu comme ça, ce n'est pas vraiment crédible. Et pourtant...

Le téléphone sonna. Contrarié, Samy répondit d'une manière agressive.

— Ah ! salut Élisa, reprit-il en adoucissant sa voix. Oui, je suis un peu irrité. Pour être franc, c'est ton frère qui m'énerve. Oui, il est rentré. Si ça s'est bien passé ?

Il jeta un regard noir vers Noam. Celui-ci, gêné, saisit les enveloppes posées sur son bureau, en saisit une, l'ouvrit.

— Lui te dira que oui. Mais quand tu sauras ce que je viens d'apprendre, je pense que tu seras aussi excédée que moi.

Noam découvrit le contrat rédigé par Dutertre Style, feuilleta négligemment les pages.

— Tiens, l'interpella Samy, je te transfère ta sœur. Elle attend des explications. Je vais me chercher un autre café.

Noam cala le combiné entre son épaule et son oreille et répondit à sa sœur tout en signant les feuillets du contrat et y en apposant le tampon de l'entreprise.

— Oui, Élisa, je sais : tu espérais que je t'annonce une bonne nouvelle. Mais, j'en ai une, d'un autre genre : je pars en vacances avec Anna et toi.

*
* *

— Qu'est-ce qui t'a enfin décidé ? interrogea Élisa, en sortant de voiture.

Sa sœur n'avait osé poser la question quand Noam lui avait appris la bonne nouvelle sans plus d'explications. Elle s'était contentée de marquer sa surprise et, discrètement, sa satisfaction puis de lui donner rendez-vous pour le lendemain, en fin d'après-midi. Mais, maintenant qu'ils se trouvaient devant l'appartement de leur père, elle se sentait en droit de l'interroger. De fait, il ne pouvait reculer.

— Je ne sais pas. Sans doute, ce que tu m'as dit la dernière fois, répondit-il évasif.

Il lui semblait inconcevable de lui parler des familles Luzzato et Nagy, de lui expliquer ce que ces visites avaient remué en lui ni les questions qu'elles avaient soulevées.

Une femme d'une cinquantaine d'années vint leur ouvrir. Elle embrassa Élisa puis posa un regard curieux sur Noam.

— Noam, je te présente Alma. Alma est aide-soignante. C'est elle qui prend soin de papa, durant la journée, depuis maintenant six ans. Une autre personne s'occupe de lui la nuit. Alma, voici mon frère, Noam.

L'infirmière le salua poliment, troublée par sa présence.

Pour prendre soin de leur père, atteint de la maladie d'Alzheimer, Élisa, nommée tutrice, avait monté une véritable organisation pour le maintenir à domicile. L'argent qu'il possédait ne pouvait mieux servir.

— Comment est-il aujourd'hui ? s'enquit Élisa.

— Bien. Il a pris son petit déjeuner, puis son déjeuner et je lui ai fait pratiquer quelques exercices auxquels il s'est volontiers plié.

Entendre Alma parler de son père comme s'il s'agissait d'un enfant toucha Noam, prémices de compassion qui le surprirent.

— Hier, il a parlé de vous. Durant un instant de lucidité, il a demandé quand vous deviez passer. Puis, il a évoqué Anna en posant les yeux sur la photo que vous avez placée sur la commode. Il a dit qu'elle ressemblait à son épouse, enfin... à votre mère.

Élisa s'adressa à Noam.

— Papa a parfois des instants de lucidité durant lesquels il se souvient de choses très particulières. Un jour, il a émergé de son absence et m'a décrit la manière dont maman préparait la tarte à la rhubarbe. D'autres fois, il évoque sa maladie ou porte un regard critique sur ses années de perdition.

— A-t-il un jour…

— Parlé de toi ? Oui, souvent.

— Tu ne me l'as jamais dit, pourtant.

— Tu ne voulais rien entendre à son sujet.

— Qu'avait-il dit ?

— Il demandait de tes nouvelles. Allez, entrons.

Ils poussèrent la porte. Hubert Beaumont était endormi, menton relevé, bouche ouverte. Élisa avança jusqu'au lit mais Noam préféra rester à distance. La vision de son père, si vieux et sans défense, le glaça. Il ne put s'empêcher de penser à Filippo Luzzato, lui aussi alité, à quelques encablures de sa dernière destination.

Élisa caressa le front du malade qui ouvrit les yeux. Son regard de petit enfant perturbé dans son sommeil chercha alentour quelque chose de rassurant auquel se raccrocher.

— Élisa… murmura-t-il.

— Oui papa, sourit-elle, heureuse qu'il la reconnaisse.

— Je rêvais.

— De quoi, papa ?

— Tu te souviens de nos vacances à l'île Maurice ?

— Bien sûr.

— Je rêvais que nous étions à nouveau réunis tous les quatre dans cette maison au bord de l'eau. Nous avions posé la table dans l'eau et déjeunions. Ton frère et toi émiettiez du pain pour que les poissons se regroupent autour de vos pieds.

— Nous l'avons fait, c'est vrai.

Le vieil homme se tut, comme à la recherche d'autres images ou sensations.

Noam sentit sa gorge se serrer. Son père parlait de lui, d'eux quatre comme d'une famille unie. Lui avait seulement trois ans durant ces vacances sur l'île et pour seul souvenir les photos vues plus tard ou ce que sa sœur lui avait raconté pour tenter, en vain, de le lier au passé d'une famille heureuse ; mais, en prononçant ces quelques paroles, on venait de lui restituer une partie de son histoire. Il réalisa alors qu'ils possédaient des mémoires différentes. Noam avait oublié la quasi-totalité de sa vie avant le décès de sa mère alors que son père ne semblait se souvenir que d'elle.

Élisa leva les yeux vers Noam et découvrit son trouble. Elle hésita à l'interpeller puis, ne sachant combien de temps le malade resterait lucide, se lança.

— Je suis venu avec quelqu'un, papa.

— Ah ? Qui donc ? s'étonna-t-il en la fixant.

D'un mouvement de tête, elle désigna l'emplacement où son frère se trouvait. Leur père, en l'apercevant, se figea. Il demeura silencieux, mais ses yeux s'embuèrent.

— Mon fils, dit-il enfin, quel bonheur !

Noam sentit sa gorge se serrer tant ces quelques mots lui parurent indécemment affectueux. Quand l'avait-il appelé par son prénom avec autant de douceur pour la dernière fois ? Quand l'avait-il considéré comme son fils et s'était-il même réjoui de le revoir ? Tentait-il de l'apitoyer ? Non, il décela sur le visage du vieil homme la sincérité que confère la maladie.

— Approche, que je te voie mieux.

Noam avança, se plaça près de lui, de l'autre côté du lit, ne sachant pas s'il devait se pencher pour l'embrasser ou plutôt prendre sa main.

— Que tu es beau ! Viens, assieds-toi près de moi.

Il obtempéra et son père chercha sa paume. Noam frémit en touchant la peau froide et fine, les os fragiles.

— Je suis désolé. À chaque fois que tu es venu, je n'étais pas conscient.

— Oui, Noam a eu moins de chance que moi, intervint Élisa pour que Noam comprenne ses mensonges.

— Je sais que tu me reproches de ne pas m'être occupé de vous. Mais je ne pouvais pas, Noam, j'étais perdu. J'aimais tellement ta mère. Je me sentais fort avec elle et tellement vide quand elle est partie...

— Je sais... papa, réussit à articuler Noam.

— Tu m'en as longtemps voulu, n'est-ce pas ?

— Oui, c'est vrai.

— Aujourd'hui encore ?

— Non.

— Pour moi, c'est important de le savoir, tu sais. Es-tu marié ? As-tu des enfants ? Élisa a dû me le dire mais...

— Non, je vis seul.

— Tu as été amoureux, Noam ?

La question l'embarrassa. Comment ce père, avec qui il n'avait jamais rien partagé, pouvait-il lui demander de se confier à lui ? La maladie, l'urgence de la fin, songea-t-il.

— Oui, une fois.

— Vraiment amoureux ?

— Oui.

— Et tu l'as perdue ?

— En effet. Elle m'a quitté.

— Alors, tu ne l'as pas vraiment perdue. Car tu as toujours conservé l'espoir de la revoir, n'est-ce pas ? Tandis que moi, je n'avais même plus l'espoir, Noam, elle était partie pour toujours.

— Je sais ce que ça fait, papa, j'ai également perdu maman.

Noam avait rétorqué avec une pointe d'agressivité qu'il n'avait pas sentie arriver et qui toucha son père.

— Ta colère persiste, Noam, tu ne l'as pas encore suffisamment éloignée. Dis-toi qu'il valait mieux que je parte et vous laisse à vos grands-parents, j'aurais été un mauvais père.

Noam eut envie de lui lancer une réponse cinglante, mais se retint. Leurs confidences arrivaient trop tard. Les explications ne servaient plus à rien.

— Pardonne-moi, Noam, ajouta le vieil homme.

Son fils, emporté par l'émotion, ne put dire un mot. Il serra plus fort la main décharnée pour signifier qu'il accordait ce pardon.

— Je suis fatigué, murmura leur père.

— Nous allons te laisser, proposa Noam.

— Non, restez à mes côtés le temps que je m'endorme. Votre présence m'aidera à plonger dans des rêves faits de beaux souvenirs.

Hubert Beaumont posa ses yeux sur ceux de son fils, comme s'il l'invitait à y lire tout ce qu'ils ne s'étaient jamais dit jusqu'alors. Puis ses paupières tombèrent.

Élisa se leva, Noam la suivit. Sur le palier de la chambre, elle essuya ses larmes.

— Nous avons eu de la chance, bredouilla-t-elle. Il est resté avec nous un bon moment. C'est fou que ce soit arrivé le jour de ta visite.

Noam n'eut pas la force d'émettre un commentaire. Ni l'énergie de reconnaître que, malgré la douleur ressentie, il se sentait plus léger.

La visite rendue à mon père m'a beaucoup apporté. Certaines montagnes paraissent insurmontables tant que nous levons la tête vers leur sommet. Il suffit de la baisser et d'y poser un pied pour se sentir capable de les vaincre.

Jusqu'alors, je m'étais contenté d'entretenir ma colère en jaugeant la distance qu'il avait mise entre lui et nous, en lui donnant des définitions qui renvoyaient à ma culpabilité. Élisa, elle, avait fait le premier pas et les suivants l'avaient entraînée jusqu'au pardon. Je ne crois pas qu'elle ait jamais pensé atteindre la cime du roc paternel mais, tout au moins, était-elle capable de compassion.

Alors que moi je suis resté en bas, avec ma rancœur, défiant la hauteur, cognant la roche. Colère contre ce père dont l'absence et la démission étaient accusatrices, culpabilisatrices. Mais je m'étais trompé : c'est contre moi qu'était dirigée cette hargne. Une fureur froide, envahissante, sclérosante qui se nourrissait, et se nourrit encore, de mon incapacité à agir. Je suis resté l'enfant sur le bord de la route, effrayé, désemparé, impuissant.

Or, aujourd'hui, j'ai envie d'avancer, d'affronter mes ombres, de trouver une lumière capable de les dissoudre. Ou, tout au moins, de les contraindre à marcher derrière moi.

Chapitre 14

Trois jours plus tard, alors qu'il venait d'arriver chez lui, Noam reçut un e-mail de Sarah. Qu'en faire ? L'ouvrir ? Le détruire ? Il resta un moment pensif puis se leva, alla se servir un whisky, alluma une cigarette et se plaça face à la baie vitrée et entreprit de réfléchir aux événements traversés ces dernières semaines.

Il n'avait su en tirer qu'une certitude : sa vie devait changer. Il ne fallait plus la subir. Toutes ses récentes décisions allaient dans ce sens. Mais, pour réellement réussir, une ultime étape restait à franchir : résister aux affres infligées par son tempérament sombre. Et parmi ses tourments, il y avait ces e-mails énigmatiques, cette idée incongrue – et trop facilement acceptée –, cette thérapie qui n'en était pas une. Avancer dans la vie, changer d'air, de travail, anesthésier sa peur de l'avenir, constituaient des objectifs bien plus motivants et sains que cette quête surnaturelle quasi délétère. Sa résolution était ferme : abandonner cette étrange aventure. Essayer la piste préconisée par Linette Marcus ne l'avait conduit nulle part. Enfin, pour être honnête, elle l'avait amené à ouvrir les yeux sur ses propres manquements, sur l'inanité de son existence. Au moins cela était-il positif. Quant à la prédiction, il allait l'oublier. Après tout, si elle disait vrai, passer ses derniers jours à résoudre une énigme se révélait totalement ridicule. Les condamnés à mort prient, disent au revoir, écrivent à leurs proches, fument et mangent mais ne réclament jamais un bilan de santé.

Il retourna donc à son bureau et... supprima le message.

*
* *

— Tu l'as donc fait, s'exclama Aurore.

— Oui, j'ai supprimé cet e-mail. Un geste anodin pour l'humanité, un grand pas pour moi, lui répondit-il en riant.

Ils traversèrent le boulevard Haussman et Aurore l'entraîna dans un magasin. Elle lui avait demandé de l'accompagner faire quelques achats avant son départ en vacances. Et lui avait accepté, heureux de voir leur relation prendre la tonalité d'une complicité amicale. Étendre son cercle d'amis représentait une avancée pour qui désire appréhender plus positivement son existence.

Aurore essaya des tenues légères, sollicita son avis, rit de ses remarques trop masculines.

Puis, ils allèrent boire un verre dans une brasserie.

— Tu songes encore au présage ? demanda-t-elle.

— Oui. Mais j'essaie de fuir ces pensées.

— C'est déjà ça. Prends-tu des nouvelles du professeur italien ?

— Selon les informations que j'ai pu recueillir, son état est stationnaire.

— Donc, tu ne t'es pas totalement débarrassé de ces idées stupides.

— J'y travaille, maugréa Noam.

— As-tu parfois l'impression de vivre tes derniers jours ?

— Parfois. J'ai beau tenter de l'éviter, cette crainte me rattrape toujours.

— Et influe sur ta façon de vivre ?

— Oui, je savoure mes journées avec plus de force, plus d'envie. Je vois ceux que j'aime et réponds même présent quand une jolie femme me propose de faire du shopping avec elle. Et c'est une sacrée révolution pour moi.

Aurore secoua la tête.

— Mouais... t'es pas encore totalement sauvé.

La journaliste plongea la main dans son sac.

— J'ai une surprise pour toi, déclara-t-elle.

Elle exhiba des feuilles de papier pliées qu'elle posa, triomphante, sur la table.

— Un contrat de mariage ?

— Allez, regarde.

Noam survola le premier feuillet puis leva des yeux ravis sur son amie, amusée et satisfaite de son effet.

S'AIMER À BUDAPEST
Portrait d'une famille hongroise
vingt ans après la fin du communisme

— Je ne comprends pas... tu as écrit cet article ?

— Co-écrit. J'ai proposé le sujet à une amie journaliste à *Marie Claire*. Amusée de me voir intéressée par autre chose que la science, elle m'a demandé de lui rédiger une trame. Je l'ai fait, elle a aimé le papier et l'a retravaillé. Bon, elle a refusé les photos, trop merdiques à son goût, mais a commandé des clichés à une agence hongroise.

— Tu es géniale, Aurore.

— C'est peut-être pour t'entendre me dire ça que je l'ai fait, plaisanta-t-elle. En vérité, comme toi, je me sentais coupable de leur avoir menti. Et comme le sujet était bon, que la petite histoire traversant la grande intéresse et que Budapest est une ville très tendance...

— Je peux les garder ? interrogea Noam en désignant les feuillets.

— Bien sûr. Tu vois... notre voyage aura somme toute été positif.

— Forcément... puisqu'il nous a permis de créer cette belle entente.

Quand vint le moment de se quitter, ils s'étreignirent amicalement, se souhaitèrent de bonnes vacances.

— À propos, tu m'as dit avoir supprimé le message de Sarah... mais as-tu pris le temps de lire le nom de celui qu'elle t'envoyait rencontrer ?

— Non.

— Oh ! Cela pourrait ressembler à de la détermination, mais je crois que tu as simplement eu peur. Si tu étais réellement guéri, tu te serais senti fort et tu l'aurais lu.

— Je ne me suis pas posé la question ainsi. J'ai appuyé sur « Delete », c'est tout.

— Oui, eh bien moi j'aurais aimé savoir dans quel pays l'apprentie pythie cherchait à t'expédier.

— Je préfère voyager selon mon bon vouloir. Dans trois semaines, je partirai en Corse avec Élisa et Anna. Enfin, si Luzzato m'en laisse le temps, plaisanta-t-il.

— Et ton boulot ?

— Je vais être viré.

Elle lui adressa un regard étonné.

— Ah bon ? Qui te l'a appris ?

— Personne, mais ça ne tardera pas.

*
*   *

— C'est quoi ce bordel, Beaumont ? Qu'est-ce que ça signifie ?

Duchaussoy tenait dans sa main la copie du contrat de Dutertre Style.

— Que nous avons passé commande auprès de cette société, répliqua-t-il d'une voix neutre.

— Mais ces prix sont aberrants ! Ne vous avais-je pas fixé des objectifs précis ? fulmina le patron.

— Ceux concernant les délais et la qualité seront tenus. Mais... impossible d'obtenir les tarifs demandés.

— Impossible ?

— Ce fournisseur ne pouvait travailler à perte sauf à vouloir courir à la sienne.

— Ne jouez pas au plus malin avec moi, Noam, menaça Duchaussoy.

— Il s'agit de bons tarifs ! Certes nous ne ferons pas de marge sur l'opération, mais notre client appréciera la qualité du travail, je m'en porte garant. En temps de crise, n'est-il pas primordial de conserver ses clients ? Bien entendu, la société Baram verra ses profits diminuer mais elle aura ses produits pour la rentrée et ses boutiques loueront leur qualité. Peut-être même vous remerciera-t-elle.

Duchaussoy, les mâchoires crispées de colère, se leva brusquement.

— Vous me prenez pour un imbécile, Noam ?

— Sincèrement ? Non. Si vous l'étiez, vous n'auriez pas atteint une telle réussite. Vous êtes juste suffisant et à un point tel que vous ne vous en rendez plus compte.

Son patron ouvrit des yeux effarés.

— Comment osez-vous me parler comme ça ?

— En évitant de retenir mes pensées comme je le faisais jusqu'alors.

— Vous avez perdu la tête ! À quoi jouez-vous ?

— J'ai décidé de ne plus agir contre mes valeurs. De ne pas me soumettre à ceux qui ne voient en moi que les faiblesses qu'ils sauront exploiter.

— Si vous nourrissez de tels griefs à mon encontre, pourquoi n'être pas venu m'en parler, d'homme à homme ?

— D'homme à homme ? Savez-vous seulement ce que cette expression signifie ? Considérez-vous les êtres qui vous entourent comme vos égaux ?

Blême de rage, Duchaussoy plissa les yeux tel un fauve prêt à sauter sur sa proie.

— Je vois. Votre discours est donc politique. Les patrons contre les salariés, les méchants contre les gentils.

— Il n'y a aucune revendication dans mes propos. Je n'attends d'ailleurs rien de vous.

Duchaussoy eut un petit sourire pernicieux.

— Vous vous sentez fort, Beaumont, n'est-ce pas ? Vous souhaitez m'affronter pour vous grandir. Alors sachez que vous sortirez laminé de ce combat. Je vais tout d'abord casser ce contrat. Ensuite, je vais vous virer pour faute grave. Enfin, je m'arrangerai pour qu'aucune entreprise du secteur ne vous embauche.

Noam se leva.

— Pour le contrat, vous ne pourrez rien. Le contester vous conduira à régler d'importantes indemnités. La clause se trouve page 8. Me faire virer pour faute grave ? Laquelle ? Celle d'avoir mal su négocier un contrat ? Les prix sont plausibles sur le marché. Quant à m'empêcher de travailler... vous faites donc partie de cette race de patrons mégalomanes qui pensent que le pouvoir dont ils se gargarisent chaque jour dépasse les sphères de leur entreprise ?

Il fit quelques pas pour s'éloigner, se retourna.

— Pour le licenciement, trouvez un motif plus anodin. La crise par exemple. Bien entendu vous serez contraint de me verser les quelques émoluments prévus à mon contrat mais vous aurez au moins la satisfaction de me voir accepter ce départ.

Il ne laissa pas à l'autre le loisir de répondre et sortit du bureau.

*
* *

— Mais t'es complètement taré !

Samy, fébrile, arpentait le bureau. Noam, silencieux, le suivait des yeux.

— Écoute, c'est peut-être rattrapable. Je peux aller voir le boss, lui dire que tu es en pleine dépression – ce dont je suis d'ailleurs sûr – et proposer de renégocier avec ce fournisseur. Si je promets à Dutertre plusieurs petits contrats, il acceptera sans doute de déchirer celui-là.

— Ne t'en mêle surtout pas, Samy. Ne t'expose pas à la colère de Duchaussoy. Écoute-moi : je l'ai fait sciemment. J'avais prévu et envie de me faire virer. J'ai pris une décision que j'aurais dû prendre depuis longtemps. Et, libéré, je me sens bien plus fort.

— Mais que vas-tu faire maintenant ?

— Prendre un peu de temps pour moi.

Samy s'assit en face de son ami, résigné.

— OK, tu vas partir en vacances, tu en as besoin. Mais après ?

— Après, je ne sais pas. Je m'offrirai des cours de pilotage peut-être, j'en ai toujours rêvé. Ou je trouverai un autre boulot. J'ai un bon diplôme et une expérience assez longue et réussie. Enfin, si on omet de considérer la manière dont elle a pris fin.

Samy haussa les épaules.

— Mais j'aimais bien travailler avec toi. Que vais-je devenir tout seul ici ?

— Ils nommeront un autre gars que tu accueilleras chaleureusement, apprécieras et chapeauteras. Et, si ce n'est pas le cas, peut-être que toi aussi tu en auras marre et que tu chercheras un job plus conforme à ta valeur.

— Voilà les rôles inversés. C'est toi qui vois la vie de manière positive et moi qui broie du noir. J'espère juste que tu ne te mens pas, Noam.

— C'est-à-dire ?

— Que cette révolte n'est pas une euphorie passagère qui, dès qu'elle cessera, te fera plonger plus profondément encore.

Je me sens porté par une nouvelle force. Rendre visite à mon père, quitter mon travail, renoncer à poursuivre l'aberrante aventure : chaque décision m'a empli d'une énergie particulière. J'ai l'impression de devenir un autre homme ou, tout au moins, de me rapprocher de celui que j'ai toujours souhaité être. Je suis grisé par ce pouvoir. Presque trop, peut-être. Comme un homme au début d'une ivresse se sent plus puissant parce qu'il a enfin échappé à ses inhibitions.

Mais je sais ne pas être guéri pour autant. J'ai simplement renoncé à répondre aux questions qui, jusque-là, me tenaillaient et je me suis fait croire que les réponses m'importaient peu.

Cela étant, puis-je réellement ignorer la quête, les cinq personnes censées être liées à mon funeste sort, la prédiction de Sarah ? Car, après tout, c'est elle qui m'a conduit à me replacer au centre de mon existence, m'a permis de changer, m'a fait prendre conscience de tous mes manquements.

Et, si je pousse plus loin le raisonnement, peut-être cette nouvelle dynamique résulte-t-elle seulement des efforts accomplis pour fuir mon destin. Ce qui signifierait que j'ai, inconsciemment, accepté l'idée de ma prochaine mort et que je tente de vivre mes derniers jours selon un compte à rebours inconnu.

Autre option : je suis plus banalement dans l'œil du cyclone d'une dépression nerveuse, endroit où, avant que le mouvement ne m'entraîne à nouveau, je tente de croire que tout n'est pas fini.

Ai-je peur ? Oui. Peur de ce que je deviens, de ce que l'avenir me réserve, de ce que je n'ai pas encore compris.

Aurore a raison : ne pas ouvrir l'e-mail de Sarah ne constituait pas une preuve de ma détermination mais un aveu de faiblesse.

Noam referma son carnet, se leva, fit quelques pas. Il se plaça devant l'écran de l'ordinateur, comme pour le braver. Il resta un moment immobile, les bras croisés, sondant son esprit et son cœur à la recherche de la sérénité qui lui enjoindrait de lire l'e-mail de Sarah sans crainte. Quand il crut l'avoir trouvé, il ouvrit sa messagerie puis le dossier contenant les messages supprimés.

Le message le défiait, narquois, impertinent.

Il allait l'ouvrir, le lire et le supprimer aussitôt.

Mais sa main posée sur la souris refusa d'obéir. Que se passait-il ? Que redoutait-il ?

Il éprouva alors l'étrange sentiment que s'il cédait, ses résolutions voleraient en éclats. Plus même, le gagna l'impression que cet e-mail n'était pas semblable aux autres, qu'il possédait une force pernicieuse, maligne, qui le contraindrait à reprendre sa quête.

« Ridicule », maugréa-t-il.

Il devait être plus fort que sa peur.

Il allait ouvrir ce message, le lire, sourire et le supprimer.

Il se fit violence et cliqua.

Et ce qu'il lut le terrifia.

Chapitre 15

Noam avait roulé toute la soirée et une partie de la nuit. Le premier vol pour Amsterdam décollait seulement le lendemain matin, mais il n'avait pu se résoudre à attendre. Il lui tardait d'agir. La peur qui s'était emparée de lui en découvrant le nom indiqué l'aurait, de toute façon, empêché de dormir. Une peur sournoise qui l'avait projeté dans un état d'excitation extrême, de révolte, d'incompréhension. Il avait en effet suffi de ce nom pour renverser ses bonnes résolutions, faire vaciller sa raison et laisser les scénarios les plus délirants éclore et s'épandre dans son esprit : Julia.

Comment Sarah connaissait-elle l'amour de sa vie ? Par Linette Marcus ? Cette dernière avait pu obtenir l'information par le docteur Laurens.

Et, quand bien même, comment Sarah détenait-elle l'adresse de Julia ? Lui-même n'avait jamais réussi à la trouver.

De son portable, au volant de sa voiture, il avait tenté de joindre Linette Marcus et Aretha Laurens, mais aucune ne répondait.

Après la peur, la colère l'avait envahi. Une colère qui trouvait sa force dans l'embrasement des doutes, dans la révélation de son impuissance face aux événements. Il pensait les avoir maîtrisés, avoir repris le contrôle de sa vie mais il se voyait à nouveau dépassé. Julia resurgissait. Son ancien, bel et unique amour tombait sous le coup de cette prédiction insensée. Une menace qui avait suffi à l'amener à reprendre le parcours initié par la jeune autiste.

Cette fois, il existait un lien. Un lien évident mais inexplicable.

À son effroi se mêlait un subtil sentiment de plaisir : celui de revoir Julia. Avec le temps, il pensait être parvenu à reléguer leur histoire d'amour au chapitre des lointains souvenirs, ceux dont on finit par douter de les avoir réellement vécus, ceux dont on a rêvé si souvent qu'ils en viennent à prendre des couleurs chimériques.

*
* *

Arrivé à Amsterdam trop tard pour se rendre directement chez Julia, trop tôt pour l'attendre en bas de chez elle, il stationna un instant en bas de son immeuble, laissa son regard parcourir la façade pour tenter de réaliser que celle qu'il avait follement aimée demeurait derrière l'une de ces fenêtres.

Il s'arrêta dans un hôtel situé à quelques pas de là, prit une douche. Alors qu'il allumait une cigarette, en relevant les yeux, il vit son reflet dans le large miroir surplombant une vieille commode et une évidence le saisit. Il n'allait pas revoir sa Julia. Ce n'était plus l'adolescente au visage angélique, au regard malicieux et au sourire ironique qu'il rencontrerait mais une femme que les années auraient métamorphosée. Elle serait plus vieille, déjà ridée, peut-être épouse et mère. Qui sait... elle l'aurait oublié.

Noam se raisonna : il n'était pas venu réclamer une seconde chance mais tenter de comprendre ce qui rattachait son amour à la quête initiée par Sarah afin qu'il rencontre son destin.

Il fuma plusieurs cigarettes, puis son corps s'abandonna à un court sommeil.

*
* *

Noam était posté à l'entrée de l'allée depuis maintenant une heure. Il avait décidé d'attendre Julia plutôt que de monter jusqu'à son appartement et de courir le risque de déranger son éventuelle famille.

À chaque fois que la porte s'ouvrait, il tressaillait, tel l'adolescent de jadis. Puis, soudain, elle apparut. Noam se sentit pris d'un léger étourdissement qui l'immobilisa. C'était bien Julia : ses cheveux étaient plus foncés, plus courts mais elle avait conservé la même allure, le même maintien, fier et fragile à la fois. Il se ressaisit et trouva la force de sortir de sa voiture pour l'interpeller. Mais, une fois sur le trottoir, il vit un homme la rejoindre. Après quelques secondes d'hésitation, il décida de laisser son véhicule afin de les suivre.

Ils remontèrent plusieurs rues marchant côte à côte, discutant, riant, puis s'arrêtèrent devant ce qui semblait être une école. L'homme répondit

au téléphone. Julia attendit un instant qu'il rac-
croche puis, la conversation durant, elle le
salua d'un signe de la main et pénétra dans
le bâtiment. Noam le vit s'éloigner et détailla
son allure, gagné par une certaine jalousie. Ce
sentiment le troubla.

Il hésita sur la conduite à adopter : devait-il
attendre que Julia réapparaisse ? Mais si elle
travaillait là et ne sortait que dans quelques
heures ?

Il poussa donc la porte. Et se retrouva dans
un couloir aux murs tapissés d'affiches et de
dessins d'enfants. Noam avança, croisa
quelques personnes qui ne s'étonnèrent pas de
sa présence. Des salles de classes étaient dis-
posées tout au long du corridor.

Soudain, il tomba en arrêt devant l'une
d'elles. Julia était là, assise derrière un bureau
et contemplait la cour, rêveuse. Il sentit ses
jambes fléchir, sa respiration s'accélérer et se
figea, le temps de reprendre ses esprits.

La manière dont elle se tenait ne lui permettait de voir qu'une part de son profil. À quoi
pensait-elle ? Était-elle triste ? Pour quelles raisons ? Elle semblait si seule, si langoureuse, le
regard perdu dans le vide. N'y tenant plus, il
approcha de l'entrée.

Instantanément, Julia sentit une présence et
se retourna.

Durant une seconde, elle parut ne pas le
reconnaître puis, comme saisie de stupeur, se
redressa.

— Noam ?

Ne parvenant pas à répondre, il se contenta
de lui sourire.

— Noam ! répéta-t-elle comme si elle tentait de réaliser sa présence.

Elle chercha des mots pour exprimer sa surprise, n'en trouva pas et se leva.

— Mais... que fais-tu là ?

Sans doute croyait-elle cette rencontre due à un incroyable hasard.

— Bonjour Julia. Je... suis venu te parler.

À sa surprise s'ajoutèrent de l'incompréhension et de la crainte.

— Me parler ? Qu'y a-t-il ? Comment m'as-tu retrouvée ?

— Une histoire un peu folle, répondit-il.

— Une histoire un peu folle, répéta-t-elle, comme si elle ne s'attendait à aucune autre réponse de sa part.

Elle s'approcha lentement, puis s'arrêta, encore bouleversée par l'apparition de Noam. Il tendit les bras et elle vint se serrer contre lui.

— C'est si bon de te revoir, Noam. Tellement fou, tellement surprenant.

Julia demeura un moment la tête enfouie au creux de son épaule, tandis qu'il caressait ses cheveux, respirait son parfum, sentant une vive émotion le gagner, fermant les yeux pour la contenir. Puis, son ancien amour recula d'un pas afin de le dévisager. Il fit de même.

Oui, sa passion d'adolescence avait vieilli. Mais les quelques ridules offertes par le temps ne faisaient que révéler ce qu'il avait aimé chez elle. Elles soulignaient la malice de ses yeux, accentuaient la douce forme de ses pommettes. Là où le coin de sa bouche autrefois traduisait son ironie, il y avait dorénavant une fossette exprimant la douceur. Et l'éclat rebelle de ses yeux s'était évaporé pour laisser place à l'expression d'une mélancolie.

— Tu n'as pas vraiment changé, déclara-t-il.

Julia hocha la tête et redevint grave.

— Que fais-tu là, Noam ?

— Tu as le temps de me parler ?

— Oui... enfin, pas tout de suite, j'ai une réunion...

Elle regarda sa montre, hésita puis saisit son sac.

— Viens, suis-moi, ordonna-t-elle en se lançant d'un pas décidé dans le couloir.

Elle pénétra dans une petite salle où trois femmes buvaient un café en discutant joyeusement, interpella l'une d'entre elle et entama une discussion en néerlandais. Le petit public jeta un regard amusé sur l'intrus.

— C'est bon, elles commenceront sans moi. Allons prendre un café.

— Pourquoi ont-elles souri ?

— Je leur ai expliqué que tu étais mon amour de jeunesse, le seul homme que j'ai vraiment aimé, et que tu me faisais une visite surprise.

Elle avait proféré ces propos sur le ton de l'évidence et se réjouit de la réaction perplexe de Noam.

— Tu es enseignante ?

— Éducatrice plutôt. Je travaille dans cet institut depuis maintenant cinq ans. Nous accueillons des enfants en difficulté et essayons de les remette à niveau. Je m'occupe des ados.

Dans la rue, elle se tourna encore une fois vers lui, comme pour mieux appréhender l'incursion inattendue du passé à la lumière du jour.

— C'est complètement fou, murmura-t-elle.

Julia prit sa main comme s'ils ne s'étaient jamais quittés et l'entraîna dans une petite rue longeant un canal sur les rives duquel quelques personnes déambulaient avec sérénité.

*
* *

Elle avait écouté son récit, les yeux grands ouverts, marquant sa surprise par des exclamations ou des mimiques amusées, dubitatives, voire ahuries.

— Bon, et moi qu'est-ce que je viens faire dans cette histoire ? interrogea-t-elle quand il eut fini de raconter sa dernière rencontre.

Noam chercha la manière la plus adroite de lui répondre, puis, las, murmura dans un soupir :

— Eh bien... tu serais... la quatrième personne.

Julia se redressa, perplexe, traquant sur le visage de Noam des raisons de douter du sérieux de sa confidence, n'en trouva pas.

— Oh, merde ! finit-elle par s'exclamer. Elle t'a donné mon nom ?

— Oui. Je sais, ça paraît dingue...

— Complètement, en effet. Et c'est elle qui t'a indiqué où je travaillais ?

— Non, elle m'a donné ton adresse. Mais quand je t'ai vue sortir de l'allée avec ton... homme, je n'ai pas osé vous déranger et t'ai suivie jusqu'à l'école.

— Je t'en prie, dis-moi que c'est une blague, que ton esprit torturé et imaginatif a créé cet improbable scénario pour éviter de m'avouer que tu m'as recherchée parce que tu avais envie de me revoir.

— J'ai toujours eu envie de te revoir, Julia, répondit-il.

— Mais tu as attendu près de vingt ans qu'une folle débarque pour te refiler mes coordonnées ?

— J'ai essayé de te trouver en consultant les annuaires, en fouillant les moteurs de recherche. Mais, pour moi, tu habitais toujours aux États-Unis ou, éventuellement, tu étais revenue en France.

— Il est vrai qu'il est difficile de me dénicher. Pas pour tout le monde, remarque. Cette... prophétesse est bien parvenue à me localiser, elle !

— Je le sais, cette histoire est folle.

— J'aime les histoires loufoques et, à une certaine époque, l'idée de mourir en même temps que toi m'aurait presque fait fantasmer. Mais, dans la vraie vie, ce que tu racontes n'existe pas, Noam.

— Et voilà, soupira-t-il, tu me prends pour un fou.

— Je t'ai toujours pris pour un fou, rit Julia. C'est ton air paumé, ton regard étrange et ton comportement bizarre qui m'avaient séduite. Donc, résumons : tu es venu jusqu'ici dans l'espoir que je te révèle la clé de l'énigme ?

— Je suis venu parce que, jusqu'à maintenant, Sarah n'avait désigné que des inconnus. Mais, au moment où je commençais à croire qu'il s'agissait d'une mystification, elle m'a envoyé ton nom et tes coordonnées. Alors j'ai pensé que tu étais peut-être le chaînon manquant et que c'était toi qui possédais un lien avec... mes compagnons de mort.

— Nos compagnons, apparemment. Non, je n'ai jamais entendu parler d'eux. Je ne suis même jamais allée en Israël ni en Italie. Mon truc, c'est plutôt les pays nordiques. Mais, comment cette fille peut-elle savoir où je vis ? C'est complètement délirant ! J'en ai froid dans le dos.

Noam haussa les épaules.

— Soit nous acceptons de la croire investie d'un pouvoir incroyable...

— Ignorons tout de suite cette hypothèse, veux-tu...

— Soit quelqu'un lui a raconté notre histoire d'amour.

— Oui, mais qui ?

— Linette Marcus.

— Tu as parlé de moi à ta thérapeute ?

— Non, mais le docteur Laurens la connaît. Or, c'est elle qui m'a conseillé Linette Marcus.

— Bon, admettons. Mais elle avait mes coordonnées ! Or, je ne suis pas dans l'annuaire néerlandais.

Noam afficha une moue embarrassée.

— Écoute, je dois retourner à l'institut, déclara Julia. J'aurai fini à midi. Viens me chercher.

Elle ne lui laissa pas le temps de répondre, se leva, se pencha sur lui, déposa un baiser sur ses lèvres... qui le laissa pantois.

— Au fait, murmura-t-elle amusée en se dirigeant vers la sortie, l'homme ce matin... c'était un voisin.

Julia sortit du centre et salua ses amies qui jetaient de furtifs coups d'œil vers Noam.

— Tu leur plais, annonça-t-elle en lui prenant le bras. Qu'as-tu fait en m'attendant ?

— Je me suis promené. J'ai également essayé d'appeler Linette Marcus et le docteur Laurens. Aucune n'a répondu.

— Oublions cette histoire et allons déjeuner. Je vais t'amener dans un endroit absolument délicieux. Quand je l'ai découvert, je me suis dit que j'y conduirais mon prochain amoureux.

Il éclata de rire.

— Et je serai celui-ci ?

Elle s'arrêta, planta son regard dans le sien.

— Tu as toujours été mon prochain amoureux, Noam.

Elle souleva sa main, la porta à sa bouche, l'embrassa.

— Tu ne peux pas savoir à quel point je suis heureuse de te revoir. Certes, j'aurais préféré que les circonstances de nos retrouvailles se révèlent moins originales et plus romantiques mais peu importe, tu es là.

Ils reprirent leur marche, silencieusement, chacun soupesant le poids et les conséquences des paroles qui venaient d'être prononcées. Ils arrivèrent devant le Majestic, un grand café dont la terrasse donnait sur la place Dam, et s'y installèrent.

— Je propose que nous évacuions tout de suite les questions qui nous brûlent les lèvres, déclara Noam. Fais-moi un résumé des années écoulées depuis notre séparation.

— OK. Tu te souviens que j'ai quitté la France pour rejoindre mon père à New York. Mais je ne me suis pas entendue avec lui, alors, j'ai arrêté mes études et suis partie à l'aventure avec une amie. Nous avons fait le tour des États-Unis, travaillant dans des bars, des restaurants, des discothèques. J'ai fini par en avoir marre et suis rentrée à Paris, chez ma mère.

— Tu es revenue en France ?

— Oui, deux ans après t'avoir quitté.

— Et tu n'as pas cherché à me contacter ?

Elle haussa les épaules.

— C'est la première chose que j'ai faite, confessa-t-elle.

— Pardon... je ne comprends pas... Tu savais où j'habitais ! J'ai gardé le même appartement durant toutes mes études.

— Je sais. Je me suis rendue chez toi, un soir.

— Comment ? s'écria-t-il. Mais...

— J'ai tapé à la porte, le cœur battant à tout rompre. J'avais imaginé cent manières de te surprendre. C'est con mais... assez naïvement, j'avais espéré que tu m'attendais.

— C'était le cas, Julia.

— D'une drôle de manière... car une fille est venue m'ouvrir. Elle était assez mignonne et portait un de tes tee-shirts. Celui avec la tête du Che, tu t'en souviens ? J'ai eu envie de le lui arracher. Elle m'a dit que tu te trouvais à ton école, en train de peaufiner une étude de cas avec ton groupe de travail. J'ai bafouillé que j'étais une cousine. Elle m'a proposé d'entrer. J'ai refusé. Je crois qu'elle n'a pas été dupe. Et je me suis enfuie. Dans l'escalier, je me suis traitée de tous les noms. J'étais en larmes.

Noam, stupéfait, visualisait la scène.

— Et tu n'es jamais revenue ?

— Jamais.

— C'est trop con. Je ne me souviens même pas de cette fille. J'ai oublié son nom, jusqu'à son visage, alors que je me rappelle chacune de tes paroles, chacun de tes regards.

Elle caressa sa main de ses longs doigts.

— En tout cas, j'ai longtemps enduré la stupide souffrance ressentie ce soir-là.

— Tu aurais dû revenir, me téléphoner ! Tu pouvais quand même comprendre que je fréquente d'autres filles !

— C'est vrai, mais elle s'était installée chez toi, portait ton tee-shirt, ouvrait ta porte et était jolie. J'étais donc convaincue qu'il ne s'agissait pas d'une simple conquête. Mais je craignais surtout que mon retour t'embarrasse, que tu m'accueilles froidement. Bref, que tu salisses plus encore mes souvenirs.

Noam, dépité, songea à ce que sa vie aurait pu devenir s'il était rentré plus tôt ce soir-là ou si cette fille lui avait parlé de cette visite.

— Tu éprouvais donc encore des sentiments pour moi ? interrogea-t-il.

— J'ai su que je t'aimais vraiment lorsque j'ai posé le pied sur le sol des États-Unis. J'étais ailleurs, loin de chez moi, dans un pays dont je rêvais depuis toujours, j'allais revoir mon père, parti deux ans plus tôt, et, pourtant, j'ai su que rien là-bas ne m'enchanterait parce que ce que j'avais de plus cher était resté à Paris, dans ton petit appartement.

Noam était troublé.

— Je ne savais pas... je pensais être le seul à souffrir de ce départ, que tu t'en foutais.

— Nous étions trop cons, trop jeunes, trop amoureux. Mon Dieu, quand je repense à cette époque, à mes rêves de devenir écrivain, à ma manière de défier le monde en croyant qu'il n'attendait que moi...

— Et... ensuite ?

— Je suis partie travailler dans le Sud de la France. Où j'ai rencontré un musicien hollandais très beau, sympa, rêveur. Nous avons fait les saisons ensemble, puis il a voulu revenir vivre à Amsterdam. Je l'ai suivi. J'ai aimé cette ville et y suis restée. J'ai multiplié les petits boulots, appris la langue et repris les études pour devenir éducatrice.

— Et... ce garçon ?

Sa curiosité la fit sourire.

— D'une certaine manière, je l'ai aimé. Il était gentil, prévenant. Et il m'a fait le plus beau des cadeaux. Une petite fille.

— Tu es maman ? Où est-elle ? Comment s'appelle-t-elle ?

— Emie. Elle a six ans. Elle est chez son père jusqu'à la fin du mois. Nous nous sommes séparés il y a trois ans.

Julia sortit son portable, lui montra quelques photos.

— Je sais, elle ne me ressemble pas.

— Elle a tes yeux.

— Et encore...

Elle rangea son téléphone et posa ses coudes sur la table.

— À toi maintenant.

— Ce sera beaucoup plus rapide. Pas de femme, pas d'enfant et plus de boulot. Voilà ma vie.

— Oh ! Tu es resté seul ? s'exclama-t-elle. C'est marrant, dans mon esprit, je t'ai toujours vu avec la petite prétentieuse qui se promenait nue sous ton tee-shirt.

— D'autres filles sont passées chez moi. La plupart n'ont pas eu le temps d'enfiler mes vêtements.

Ils continuèrent à se confier leur vie, lui résumant la sienne à quelques anecdotes, elle parlant principalement de sa fille.

— J'en conclus que tu as vécu alors que je me suis contenté de traverser les années sans prendre le temps de leur donner un sens, soupira Noam.

— Oui, et c'est sans doute pour cette raison que tu as accordé tant d'importance à la fable racontée par ta prophétesse.

La remarque le toucha. Julia avait vu juste. Son existence était peuplée de fantômes, de fantasmes. Il n'avait réellement existé que durant les deux mois passés avec Julia. Et il avait l'impression de revivre à nouveau. C'était comme s'il avait traversé un océan en apnée, les yeux fermés, et resurgissait à la surface de l'eau pour enfin aspirer de l'air à pleins poumons.

— Bon, cela ne nous dit pas comment cette Sarah a pu connaître mon existence et mes coordonnées.

— En effet, admit-il, revenant à sa troublante réalité. Mais je dois la remercier de m'avoir conduit jusqu'à toi. Tu es ma seule véritable histoire, Julia.

Elle lui caressa la main.

— Ce matin, je me suis réveillée seule. Ma fille me manquait. Je me sentais triste, sans force. J'allais entamer ma dernière journée de travail avant les vacances et, pourtant, je n'éprouvais aucune joie. Mais tu es apparu.

— Ne m'avais-tu pas déclaré, un jour, que la vie savait être ingénieuse ?

— Mais un peu lente, tout de même, à montrer cette ingéniosité.

*
* *

Ils marchaient à travers les rues d'Amsterdam, heureux de se tenir par la main, troublés de former à nouveau un couple.

— Quand dois-tu rentrer ?

— Quand je veux.

— Alors, allons chercher tes affaires à l'hôtel. Tu vas venir chez moi et t'offrir quelques jours de vacances. Si nous devons mourir ensemble, autant profiter un peu l'un de l'autre, tu ne crois pas ?

*
* *

À son réveil, Noam mit quelques secondes avant de réaliser ce qui lui était arrivé. Il regarda près de lui et découvrit le corps de Julia. Il se souvint alors de la journée de la veille, de leur romantique soirée, de leurs étreintes passionnées. Un sourire illumina son visage. Pour la première fois depuis fort longtemps, il avait bien dormi et le jour le trouvait apaisé, heureux. Il déposa un baiser sur l'épaule de son amour puis fila sous la douche.

Il se dirigea ensuite vers la cuisine, chercha de quoi composer un petit déjeuner, entendit Julia se rendre à son tour à la salle de bains. Quand elle en sortit, un peignoir sur les épaules, elle sourit tendrement en découvrant la table mise.

Elle s'assit sur les genoux de Noam, but dans la même tasse que lui.

— J'ai l'impression de flotter dans un rêve, dit-elle. Tu apparais subitement, dans des circonstances étranges, tu me fais l'amour, le petit déjeuner...

— Pour moi, ce sont les années passées sans toi qui me semblent avoir été rêvées. Enfin... cauchemardées.

— Ne sommes-nous pas mignons avec nos sentiments d'adolescents ? railla-t-elle.

— J'avais laissé les miens à ce stade de mon histoire. Ils sont donc aussi puérils et forts qu'autrefois.

— Que comptes-tu faire maintenant au sujet de cette... Sarah ? Attendre le cinquième nom ?

— Je ne sais pas.

— Moi oui. Il faut aller voir ta pseudo-psychologue et l'interroger. C'est elle qui t'a envoyé auprès de Sarah, donc à elle de t'expliquer ce que cette histoire signifie.

Noam envisagea la proposition.

— Tu as raison. Puisqu'elle ne répond pas à mes appels, je vais la forcer à me parler en allant la voir.

— Nous irons. Et dès aujourd'hui.

Il jeta sur elle un regard interrogatif.

— Je suis en vacances, si tu te rappelles. Tu ne seras pas tranquille tant que tu n'obtiendras pas de réponses concrètes à tes questions, n'est-ce pas ? Alors, ne perdons pas notre temps.

*
*　*

Répondant enfin au message que Noam lui avait laissé, Aretha Laurens l'avait rappelé et, devant son insistance, lui avait accordé un rendez-vous pour le soir même. Quant à Linette Marcus, son téléphone renvoyait sans cesse sur son répondeur.

Ils arrivèrent à Paris en fin d'après-midi. Durant le trajet, Noam se sentit tiraillé de sentiments contradictoires. Il était fou de joie de se trouver auprès de Julia mais anxieux de leur avenir. Si la prédiction était fondée, leur amour serait de courte durée. Il tenta de résister à cette idée, la renvoya à son improbabilité. Ses tourments concernaient également Aretha Laurens et Linette Marcus. Que savaient-elles ? Quel rôle jouaient ces femmes dans l'aventure dont Sarah semblait être la scénariste ?

Quand ils garèrent la voiture au pied de l'immeuble bourgeois abritant le cabinet de la psychiatre, une nouvelle détermination le guidait.

Chapitre 16

En leur ouvrant la porte, Aretha Laurens affichait un air grave.

— Julia, se présenta celle-ci, en tendant la main.

Le docteur parut surpris, puis ravi. Elle les fit entrer dans son bureau.

— Pourquoi voulais-tu me voir ? demanda-t-elle d'emblée à Noam.

— Linette Marcus ne répond pas au téléphone, or, je souhaite obtenir des précisions sur ce que j'ai vécu ces derniers temps.

Une ombre voila le regard de la psychologue.

— J'ai également tenté de l'appeler. En vain.

— Elle vous a forcément informée de l'objectif poursuivi en m'envoyant rencontrer Sarah.

— Oui, bien entendu, répondit Aretha Laurens, un peu hésitante. Elle m'a exposé la logique de sa thérapie. Et le fait de te voir avec Julia, aujourd'hui, m'incite à penser qu'elle avait sans doute raison. Mais j'aurais préféré que ce soit elle qui t'explique tout ça.

— Moi aussi, n'en doutez pas. Mais je n'ai pas la patience d'attendre qu'elle daigne réapparaître. Sa disparition est suspecte. Je ne suis pas loin de penser qu'elle s'est moquée de moi, m'a manipulé. Mais dans quel but, je l'ignore.

— Ne t'emballe pas. Je vais t'expliquer ce que je sais et suis autorisée à te confier.

— D'abord, pourquoi Sarah ? Et pourquoi m'envoyer rencontrer de parfaits inconnus. Hormis Julia...

Aretha Laurens, comprenant la position de Noam, parut réfléchir un instant à la manière d'aborder le sujet sans le brusquer.

— Vois-tu, c'est assez compliqué... Sa méthode est tellement originale.

— Eh bien, expliquez-la-nous de la manière la plus simple, suggéra Noam.

— D'accord. Voilà : son approche consiste à créer un choc émotionnel capable de sortir le patient des logiques dans lesquelles il s'est enfermé. Selon elle, après un drame, tous les êtres élaborent une sorte de programme interne capable de les aider à avancer dans la vie en dépassant leurs traumatismes, en niant les vérités contraignantes. Autrement dit, pour éviter de sombrer dans la dépression ou la folie, chacun conçoit inconsciemment un plan de survie fondé sur des stratégies d'évitement, de déni ou de dépassement. Il s'ancre à des croyances, se fixe des objectifs ou se recroqueville sur lui-même. Souvent, avec le temps, ce programme interne s'ouvre grâce à des rencontres ou aux opportunités qu'offre la vie. L'individu trouve de nouvelles motivations, des objectifs stimulants et, ainsi, dépasse le traumatisme initial afin de construire sa vie. Dans ton cas, pour reprendre les termes de Linette, j'ai pensé t'avoir aidé à créer ce programme interne.

— Mais celui-ci ne s'est jamais ouvert, n'est-ce pas ?

— Quand nous avons cessé nos séances, tu étais un étudiant brillant et amoureux. Je croyais donc avoir réussi. Mais lorsque tu es revenu me voir, voici quelques semaines, j'ai réalisé que je m'étais trompée.

— Pourquoi m'avoir alors confié à Linette Marcus ?

— Parce qu'elle avait anticipé cet échec.

— Pardon ?

— Elle n'avait jamais été réellement convaincue par ma thérapie. Linette, durant ses études, m'avait interrogée sur ton cas. Et s'était montrée sceptique quant aux réussites de mon approche. Pour elle, ton programme de survie ne durerait qu'un temps avant que tu retournes à tes premières angoisses.

— Elle n'avait pas tort.

— En effet. Vois-tu, j'aimais bien le regard novateur qu'elle portait sur la psychologie. Je n'adhérais pas à toutes ses thèses mais j'avais le sentiment que ses idées faisaient avancer les choses. Aussi, quand tu es revenu me voir, j'ai compris qu'elle avait eu raison. « Notre » programme interne t'avait uniquement remis sur les rails pour un temps. Mais, il ne s'est jamais ouvert, n'a jamais trouvé ou généré de nouvelles dynamiques capables de te connecter à des objectifs. Au contraire, il paraissait se rétracter, t'enserrer, t'étouffer un peu plus chaque jour. Tu refusais les rencontres, ignorais les possibilités offertes, t'enfermais dans une routine rassurante. Comme tu es un garçon intelligent, tu ressentais les effets nocifs de cet enfermement et traduisais ton mal-être en crises existentielles de plus en plus fréquentes. En d'autres termes, ton programme interne buggait. En fait, j'ai commis deux erreurs à ton propos...

— Deux erreurs ?

— Oui. La première a été de considérer ta réussite scolaire comme un indice de ta volonté d'acquérir une belle situation. Or, il s'agissait seulement d'un dérivatif à la réalité. En passant tes heures libres à t'abrutir de travail afin de ne pas voir la réalité, tu te retirais du monde.

— Et la seconde erreur ?

— Ton histoire d'amour avec Julia. Je t'ai quitté amoureux. Pour moi, cela confirmait que tu étais réellement lancé dans la vie. Hélas ! je n'ai pas pris cet amour suffisamment au sérieux et aucunement anticipé les conséquences d'un échec. À mes yeux, si ta romance prenait fin, l'expérience se révélerait de toute façon formatrice et t'enverrait quérir de nouvelles sensations auprès d'autres femmes. Ce qui n'a pas été le cas. La dynamique amoureuse rompue, tu t'es replié un peu plus sur toi-même, et tu as renoncé à l'amour.

— D'accord, mais revenons à Linette Marcus et à sa thérapie. Vous parliez de choc émotionnel.

— Oui, selon elle, tu tournais depuis trop longtemps sur ce programme défectueux. Tu t'étais créé un monde peuplé d'ombres, d'images, d'angoisses, désormais profondément ancrées en toi. Une approche radicale s'imposait pour t'en extraire.

— Me faire entrer dans un univers gouverné par d'autres logiques ?

— Oui. Il s'agissait d'un pari risqué. Le fait que les propos de ta nièce t'aient tellement perturbé démontrait l'existence d'une faille dans le système de pensée que tu voulais si rationnel. Car, objectivement, un être parfaitement logique aurait rangé ce genre d'incident au rayon des anecdotes amusantes, voire insolites. En te montrant perméable à ce qu'Anna t'avait annoncé, tu révélais une certaine sensibilité aux théories mystiques. Une sensibilité que Linette a souhaité exploiter. Le risque était que tu finisses par tout envoyer valser.

— Mais pourquoi Sarah ? Et pourquoi m'avoir envoyé chercher des personnes si loin ?

— J'y viens. Pour Linette, une rupture complète avec ton milieu était nécessaire. Nous devions t'amener à basculer dans une sorte d'univers parallèle. Israël, par sa magie, la portée de son histoire, son épaisseur mystique, constituait le terrain idéal pour que tu acceptes de t'engager sur la voie dessinée. Ensuite, il fallait que tu sortes de chez toi, et que tu te places dans un environnement instable, favorable à la remise en cause de tes acquis. Et puis, t'éloigner évitait que ton entourage parasite la démarche. Quant à la « communication facilitée », elle comportait une assise pseudo-scientifique suffisamment plausible pour que tu acceptes la « théorie de la prophétie des innocents ». Sarah, elle, était la passeuse, celle qui te livrait les clés d'un monde parallèle.

Un long silence tomba, chacun essayant de réaliser la portée de ces révélations. La psychologue redoutait une réaction de colère chez Noam, réalisant la manipulation. Mais celui-ci, au contraire, éprouvait un sentiment de soulagement. Quant à Julia, elle tentait d'appréhender les affres dans lesquelles son amour était plongé.

— Tout ceci n'était donc qu'une mystification ? lâcha Noam.

Aretha Laurens hocha la tête, pensive.

— Pas une mystification, une méthode.

— Oui, mais la dimension mystique était un leurre.

— Je le crois.

— Comment ça, vous le croyez ? Vous n'en êtes pas sûre ?

— Je ne connais pas les limites de la démarche de Linette. Je sais juste ce qu'elle m'en a expliqué.

— Continuez.

— Connais-tu la méthode Padovan ?

— J'en ai vaguement entendu parler, oui.

— Béatriz Padovan, une pédagogue et orthophoniste brésilienne, a établi un lien entre les différentes phases du développement de l'enfant et sa capacité à s'exprimer, à se mouvoir. Par exemple, pendant qu'il marche à quatre pattes, un bébé active des fonctions cérébrales, certains modes de découverte, d'apprentissage. Et, ainsi, chaque phase du développement joue son rôle dans l'organisation, la structuration du cerveau. Cette orthophoniste pensait que certains dysfonctionnements – tels que la dyslexie, par exemple – tenaient à un « loupé » d'une ou plusieurs de ces phases. Aussi a-t-elle conçu une méthode capable, selon elle, d'amener les patients à reprendre chacune de ces étapes essentielles pour réparer le manquement. De la même manière, Linette pense que certains problèmes récurrents d'un patient sont liés au ratage d'une partie importante de son vécu psychologique ou d'un moment fort de sa vie affective.

— L'accident survenu à ma mère constituerait le point de blocage ?

— En quelque sorte. En fait, la méthode qu'elle m'a proposée consistait à te confronter à certaines représentations de toi-même t'obligeant à prendre conscience de ce que peut être la vie. Avec pour objectif de remonter au moment où ton vécu affectif s'est vu perturbé.

— Je ne suis pas sûr de comprendre.

— Elle est partie d'une équation simple : chacun d'entre nous apparaît sur terre dans la peau d'un bébé porteur de l'espoir de toute une famille. Si le destin est clément et si ce nourrisson, en grandissant, possède les moyens de résister aux pièges de l'existence, aux problèmes qu'il rencontrera, il construira alors un couple, une famille, un groupe d'amis, et vivra en fonction de ses proches, de l'amour qu'il leur donnera et recevra, des sacrifices qu'il accomplira pour eux. Enfin, au terme de sa vie, il deviendra un vieillard riche d'une existence pleine, d'une famille aimante et d'une pensée capable de guider les siens.

— Elle m'a donc envoyé rencontrer trois représentations de ce que j'avais été et que je pourrais être...

— Exactement. Tu as eu une enfance perturbée, une adolescence instable. Tes repères affectifs se révélaient extrêmement fragiles. Il t'était donc difficile d'aimer, d'édifier une vie de famille. La confrontation avec le jeune couple israélien et leur bébé visait à te faire réaliser que tu avais été, toi aussi, un enfant de l'amour, choyé par des parents pleins d'espoir. Les Hongrois te révélaient la puissance de l'amour quand il s'exprime dans une relation de partage. Enfin, le vieil homme indiquait un objectif : celui de quitter ce monde à un âge avancé, au terme d'un parcours plein de sens, qui plus est, entouré de l'amour des siens.

— Mais pourquoi m'avoir fait croire que nous mourrions tous le même jour ?

— Pour deux raisons : d'abord afin d'ancrer cette approche dans tes peurs. Ensuite parce que tu avais évoqué ton angoisse de la mort. La phrase prononcée par ta nièce permettait de créer un tel scénario. Et nous avions plus de chance de te voir suivre ce parcours... rédempteur. L'autre raison est que cette annonce, cette forme de malédiction, créait une tension dramatique qui valorisait chacun de tes pas durant cette quête de sens.

— Il n'existait pas la moindre once de vérité dans cette prophétie ?

— Pas à ma connaissance en tout cas. Si j'ai bien compris le stratagème de Linette, l'annonce t'a simplement conduit à porter une attention particulière à chacun des êtres qui t'étaient désignés. Quand tu as rencontré le professeur italien, tu en as déduit que ta vie allait bientôt s'achever et, par conséquent, celle du bébé. Cela devait t'inciter à t'interroger sur ton état... végétatif et à éprouver de l'empathie pour un nourrisson inconnu. Puis, en découvrant le père de famille hongrois, tu prenais conscience de ce qu'il ne te serait jamais donné de vivre si tu quittais ce monde prématurément : une famille aimante, équilibrée. Ce à quoi tu avais toujours aspiré sans jamais t'accorder la moindre chance d'y parvenir. Cette quête visait à raviver la partie éteinte de ton cœur.

— « Mourir du cœur » veut aussi dire refuser d'éprouver des sensations, renoncer à l'amour...

— Oui, et en « mourant du cœur », c'est-à-dire en refusant d'aimer, tu tuais le bébé que tu avais été autant que le père de famille et le vieillard aimé que tu pouvais devenir.

Noam envisagea avec circonspection cette façon d'aborder le présage d'Anna. Elle paraissait sensée. La méthode de Linette Marcus se fondait sur une logique porteuse de sens. Bien qu'agacé d'avoir été mené en bateau, il se sentit également soulagé : le message n'était pas à prendre au premier degré puisqu'il relevait d'une parabole. Julia et lui ne mourraient pas en même temps que les autres personnes.

— Mais qui étaient ces gens ? Des connaissances de Linette Marcus ? De Sarah ? questionna-t-il, redevenu d'un coup suspicieux.

— Je l'ignore. La partie logistique de la démarche m'échappe totalement.

— Et Julia ?

— C'est le trait de génie de Linette, si je puis me permettre d'émettre un avis. Julia incarnait, en quelque sorte, le chaînon manquant. Celle que tu avais aimée et qui aurait pu te permettre de devenir le père de famille comblé puis, au terme d'une vie bien remplie, l'homme sage et respecté des siens. Il fallait donc t'amener à la revoir.

— Comment a-t-elle obtenu ses coordonnées ?

— Je te l'ai dit, je ne sais rien de son organisation.

— Mais j'aurais pu découvrir une Julia mariée et heureuse.

— Et alors ? Je pense d'ailleurs que c'est ce à quoi Linette s'attendait. Elle voulait que tu prennes acte de la réalité et que tu fasses enfin le deuil de votre relation passée. Elle n'a sans doute jamais osé espérer que vous repreniez votre histoire là où vous l'aviez laissée.

— Si j'avais su... murmura Julia, sidérée, en posant un regard tendre sur Noam. Si j'avais su à quel point je comptais pour toi. C'est beau et effrayant à la fois.

Il lui caressa la joue puis se tourna vers Aretha Laurens.

— Tout à l'heure, vous aviez l'air de sous-entendre que Linette Marcus vous cachait quelque chose, qu'elle ne vous avait pas tout révélé sur sa démarche. Pourquoi ce sentiment ?

Le docteur Laurens parut embarrassée.

— Tout d'abord, sache qu'il existe certaines choses dont je ne me sens pas autorisée à parler et qu'elle t'expliquera elle-même. Mais, au-delà, j'ai l'impression, en effet, qu'elle ne m'a pas tout dit.

— Soyez plus claire, docteur. Que pourrait-elle cacher ?

— N'insiste pas, Noam. Je n'ai pas le droit de partir dans de quelconques élucubrations. Le mieux est que vous la trouviez et qu'elle se livre à vous.

— Mais...

— Restons-en là, s'il te plaît.

Elle retrouva son sourire avenant et les regarda à tour de rôle.

— Après tout, cette histoire finit plutôt bien, n'est-ce pas ?

Noam fronça les sourcils. Quelque chose lui échappait.

— Je pense qu'elle n'est pas tout à fait finie, voyez-vous, répondit-il. Vos explications ne me satisfont qu'à moitié. Il y a encore des zones d'ombre. Et, d'ailleurs, Sarah n'annonçait-elle pas cinq noms ?

*
* *

Julia avait parcouru l'appartement avec intérêt, s'arrêtant dans chaque pièce, scrutant chaque détail comme s'il devait lui révéler une partie de la vie de Noam.

— Les lieux te ressemblent, conclut-elle, en s'asseyant à ses côtés. Ils sont sombres, austères, presque lugubres.

— Merci. Tu as toujours eu l'art de faire des compliments.

— Tu sais très bien ce que je veux dire. Il y a deux Noam en toi. Celui que je viens de décrire et un autre qui ne demande qu'à se révéler.

— Votre mission, si vous l'acceptez, sera donc de redécorer mon intérieur.

— Je vais donc me transformer en décoratrice d'intérieur de ton âme. Réaménagement des pièces, mise en valeur des volumes, éclairages renforcés, peintures plus gaies et débarras de toutes les vieilleries pour leur substituer des objets à même d'exprimer tes véritables valeurs.

— Tu comptes y emménager ?

— Si je m'entends avec le propriétaire sur les conditions, pourquoi pas...

Noam aurait aimé se réjouir pleinement de ces perspectives engageantes mais l'écho de la discussion avec le docteur Laurens ne cessait de résonner en lui.

— Tu es préoccupé, n'est-ce pas ?

— Oui, reconnut-il. Les éclaircissements d'Aretha Laurens ne m'ont pas totalement convaincu. Je veux bien croire qu'il s'agit d'une thérapie savante. Mais Anna a bien prononcé ces paroles. Et la prophétie des innocents existe, Sarah aussi...

— Pour ma part, j'ai trouvé la démarche de Linette Marcus ingénieuse et cela me suffit.

— Elle l'est. D'ailleurs, à un moment, je me suis approché de sa logique.

— Quand ?

— Après avoir lu les articles consacrés à la philosophie de Filippo Luzzato. Il me semblait être passé à côté de quelque chose d'essentiel. Puis, quand j'ai rencontré la famille Nagy, j'ai à nouveau eu ce sentiment.

— Explique-moi.

— L'une des théories du vieux philosophe est que notre société nous force à confondre l'être et le paraître, la vérité et les faux-semblants, l'intériorité et l'extériorité. Selon lui, parce que les hommes ne s'aiment plus, ne possèdent plus suffisamment d'amour-propre, ils se sentent incapables d'éprouver de vrais sentiments envers les leurs. Comment construire un foyer lorsqu'on n'a pas su se construire une véritable identité ? Aussi cherchent-ils à l'extérieur des raisons d'aimer, de s'émouvoir avec, comme seul critère de jugement, la compassion qu'ils éprouvent. Et les médias, la société de consommation, leur servent des plats d'émotion tout chauds, prêts à consommer. Ils versent une larme devant des émissions stupides, s'engagent dans des causes sans en comprendre le sens.

— Intéressant.

— À en croire Luzzato, il existe un rapport sentiments/raison qui doit s'organiser en fonction du lieu où l'on se trouve. À la maison, le sentiment, l'amour doit primer sur la raison. À l'extérieur, notre capacité de jugement doit reprendre le dessus.

— D'accord avec ça. J'ai vu trop de gamins dévier parce qu'ils n'avaient pas été aimés. Et, souvent, leur révolte dissimule une demande d'amour.

— Or, si la tête est le foyer de la raison, le cœur est celui de l'amour.

— Et ?

— Et, mourir du cœur signifiait peut-être mourir de ne pas savoir aimer.

Julia prit le temps de considérer la déclaration de Noam.

— Pas mal, lâcha-t-elle. Si tu tiens à donner une explication rationnelle aux propos de ta nièce, celle-là mérite d'être envisagée.

— Or, c'est ce que m'ont démontré ensuite les Nagy. Ils sont parvenus à transformer l'amour qu'ils se portent en force et vivent en parfaite harmonie avec leur temps, la société, savent faire la part des choses, résister aux modes...

La sonnerie de l'entrée retentit.

— Tu attends quelqu'un ? demanda Julia.

— Non. Ma sœur peut-être ?

Il ouvrit la porte et découvrit Aurore affichant une expression de surprise exagérée. Mais, devant son sérieux, elle lui substitua une moue de déception.

— Je sais, tu ne m'attendais pas, mais de là à faire cette tête... s'exclama-t-elle.

— Désolé... balbutia-t-il, c'est juste que j'étais...

— ... pas seul, termina Aurore en remarquant une présence dans la salle à manger. Ne t'inquiète pas, je ne suis pas femme à faire une scène de jalousie.

Noam s'effaça pour la laisser entrer. Quand elles furent face à face, les deux femmes se jaugèrent.

— Aurore, je te présente Julia.

— Enchantée, dit celle-ci en tendant la main. Je suis... l'amour de sa vie.

— Moi... seulement celui d'une nuit, répliqua Aurore.

Elles se tournèrent vers lui et éclatèrent de rire en constatant son visage dépité.

— Je venais aux nouvelles, expliqua la journaliste. J'ai essayé de te joindre sans succès et je me faisais un peu de souci.

Puis, se tournant vers Julia :

— Pour être complète, je suis également sa confidente et partenaire dans l'aventure un peu folle qu'il vit depuis quelque temps. Il a dû t'en parler, n'est-ce pas ?

— Oui. Je suis d'ailleurs la quatrième personne désignée par Sarah.

— Ah ? s'étonna Aurore. Et vous vous êtes rencontrés à cette occasion ? N'est-ce pas un peu tôt pour vous octroyer le titre de femme de sa vie ?

— Non, c'est un titre brigué voilà près de dix-huit ans et que je tente de reconquérir.

— De plus en plus intéressant. Qui me raconte ?

— Commence, proposa Noam, je vais faire du café.

*
* *

Quand il revint, il les servit et se mêla à la conversation.

— Et bien voilà enfin des explications rationnelles à cette délirante histoire, conclut Aurore quand le couple eut fini de la mettre au courant des derniers rebondissements. Si la méthode est contestable, elle possède l'avantage de reposer sur une logique qui ne doit rien aux croyances obscures.

— C'est également mon avis, répliqua Julia. Mais Noam reste persuadé que Linette Marcus lui cache quelque chose.

— Pourquoi ne pas en rester là, Noam ? Tu disposes d'une explication tangible et la femme dont tu rêvais se trouve désormais à tes côtés.

Le garçon hocha la tête.

— Oui, tu as raison. Après tout, la suite m'importe peu, admit-il plus pour s'en convaincre qu'afin de les rassurer.

— À la bonne heure ! Bon, ce n'est pas que je me sente de trop, mais tout ceci ne me regarde plus.

Aurore se leva. Elle tendit la main à Julia puis se ravisa et l'embrassa.

— Je pense qu'on peut devenir copines, déclara-t-elle souriante.

— J'en suis certaine, répondit Julia.

— On se revoit bientôt, proposa Noam en la raccompagnant à la porte.

*
* *

Julia s'était assise sur le bureau de Noam pendant que celui-ci débarrassait la table.

Quand il revint de la cuisine, il fut surpris de la trouver crispée, blême.

— Que t'arrive-t-il ? Tu fais une drôle de tête.

— Étais-tu sincère lorsque tu as dit ne pas vouloir en savoir plus ?

— Pourquoi cette question ?

Julia fronça les sourcils.

— Parce qu'il est encore trop tôt pour être aussi affirmatif, répondit-elle, soudainement mystérieuse.

Noam s'immobilisa.

— Qu'est-ce qui t'a fait changer d'avis ?

D'un geste, elle désigna l'ordinateur. Noam s'approcha. Sur l'écran un nouveau message de Sarah s'affichait.

De : Sarah
Objet : 5ᵉ personne

Linette Marcus

Chapitre 17

— Le jeu de piste finit là où il a commencé, murmura Noam, préoccupé et ébranlé.

— C'est étrange de t'envoyer auprès de celle qui a initié ce parcours.

— Au moment même où je m'interrogeais sur la nécessité de l'abandonner. À croire que Sarah a toujours un coup d'avance sur moi.

— Laisse tomber ce genre de réflexion. Sans doute a-t-elle plutôt un coup de retard. Ce message pourrait simplement être une invitation de Linette Marcus à la contacter. Ignorant qu'Aretha Laurens nous a déjà confié les clés de sa démarche, elle t'invite à venir la découvrir.

— Alors qu'elle a disparu et ne répond pas au téléphone ?

— Essaie de lui téléphoner à nouveau. Si c'est elle qui a lancé l'appel, elle se sera rendue disponible.

Noam saisit son portable, composa le numéro de la psychothérapeute mais fut immédiatement renvoyé à sa boîte vocale.

— Et à son bureau ?

— Pareil, annonça-t-il après avoir raccroché. Julia se leva, ramassa son sac.

— Alors, allons à son cabinet, lança-t-elle, résolue.

*
* *

Arrivés au pied de l'immeuble, Noam et Julia constatèrent que les lumières de son bureau étaient éteintes.

— Tu veux vraiment t'introduire chez elle ? s'enquit Noam.

— Exact.

— Mais... comment comptes-tu faire ?

— Figure-toi qu'en travaillant avec des petits délinquants, on apprend certaines choses intéressantes, dit-elle en fouillant ses poches.

Elle en sortit une épingle à cheveux qu'elle exhiba fièrement.

— Et tu comptes ouvrir la porte avec ça, comme dans les films ?

— Je vais essayer.

— Je ne sais pas... on n'a pas le droit... bredouilla-t-il.

— Ces réticences t'honorent, Noam. Mais comptes-tu attendre son retour de vacances pour obtenir les réponses à tes questions ? Cette femme t'a lâché au milieu de l'aventure. Il faut découvrir ce qu'elle cache. Et puis, nous ne sommes pas des voleurs et ne prendrons rien. Nous venons juste chercher une vérité qui t'appartient.

— Vu sous cet angle... Mais si nous nous faisons attraper, je doute que la police soit sensible à tes arguments.

Elle passa ses bras autour du cou de Noam et l'embrassa.

— Je commence à adorer cette histoire moi, susurra-t-elle. Hier, ma vie se révélait plutôt morne. Aujourd'hui, elle est carrément folle.

*
*   *

Julia avait introduit sa pince dans la serrure et la triturait depuis deux minutes déjà.

— Laisse tomber, souffla Noam, surveillant fébrilement les appartements voisins.

— Je n'ai pas été suffisamment attentive aux cours donnés par mes gamins.

Soudain la serrure céda et Julia afficha un air triomphant.

Ils s'introduisirent dans l'appartement.

— Son bureau est là, indiqua Noam.

Le cœur battant à tout rompre, ils avancèrent dans l'obscurité. La lune éclairait la pièce d'une lumière blanche et froide. Noam chercha l'ordinateur portable vu lors de ses visites mais Linette Marcus avait dû l'emporter. Ils fouillèrent un à un les tiroirs du bureau, en vain. Puis, dans une armoire, Julia trouva de nombreux dossiers suspendus.

Noam, distinguant immédiatement son nom sur l'un d'entre eux, le saisit et alla s'asseoir sur l'une des chaises réservées aux patients. Elle prit place à ses côtés.

Il vit d'abord les pages d'un article de presse, les déplia. Et ouvrit la bouche sur une exclamation silencieuse.

Face à lui, une photo de sa mère, souriante, belle.

Le papier, paru dans le journal local, relatait les faits. Et mentionnait la présence de Noam lors de cet accident aux circonstances décrites comme « encore floues ».

Sans qu'il s'en rende compte, ses yeux s'étaient emplis de larmes.

— Elle était belle ta maman, murmura Julia.

Il réalisa avoir presque oublié son visage, certains de ses traits tout au moins, ayant toujours refusé de regarder les photos qu'il possédait d'elle.

— Tu avais déjà vu cet article ?

— Non, je le découvre. Mais comment se fait-il que Linette Marcus en possède une copie ?

— Peut-être le docteur Laurens le lui a-t-elle transmis. Ou alors, son investigation l'a poussée à remonter au drame.

Il continua sa fouille et tomba sur les photocopies des pages du livre du docteur consacrées à son cas. Certains passages étaient surlignés. Au feutre, un mot avait été écrit en gros caractère.

Culpabilité ?

La question le heurta tant elle lui parut d'une naïveté déconcertante. Bien sûr qu'il s'était senti coupable. Coupable d'avoir entraîné sa mère derrière lui, de s'être montré impatient, de s'être lancé dans la circulation, d'avoir plongé son père dans le plus profond désarroi.

Il trouva ensuite une lettre envoyée par le docteur Laurens à Linette Marcus. La correspondance datait d'environ quinze ans.

— Alors ? souffla Julia. Intéressant ?

— Aretha Laurens félicite l'étudiante en psychologie pour son mémoire. Tiens, le voici, ce mémoire.

Sur cent pages, Linette Marcus avait entrepris une analyse comparée de la notion de révélation dans les approches mystiques et les théories de célèbres psychologues.

— En somme, elle avait déjà commencé à quitter la psychologie pour s'intéresser aux sciences parallèles, remarqua Noam. Elle cite mon cas.

— Et ça, qu'est-ce que c'est ? demanda Julia en indiquant des feuilles reliées par une attache en aluminium.

— Des notes manuscrites, apparemment.

Il sortit la première et la lut.

— Qu'est-ce que ça veut dire ? s'exclama-t-il abasourdi.

Il feuilleta les autres pages.

— Elle me connaissait ! s'écria-t-il fébrile.

— Oui, tu viens de me dire qu'elle s'était penchée sur ton cas.

— Non, ce n'est pas ça… elle a suivi mon parcours. Regarde… Là, elle inscrit que je suis entré en classe prépa, que je commence à avoir une vie sociale normale. Ici, elle indique que j'ai été accepté en école de commerce. Et, sur cette note, elle signale qu'une entreprise m'a recruté.

Elle inscrit même le prénom de mes amis. Regarde, ici elle dit m'avoir épié dans un bar. Écoute : « Il n'avait pas besoin de ma vérité. Elle n'appartenait qu'à moi. La lui offrir relevait d'un acte égoïste. Et si je savais que la mort scellait nos vies, rien ne m'autorisait à croire que le lui expliquer l'aiderait à vivre mieux. » Mais que veut-elle dire ? Quelle vérité ? Quelle mort ? Et là, sur sa dernière notre : « Noam semble mener une vie sociale plutôt réussie. Il travaille, paraît trouver du plaisir à évoluer dans son entreprise. Certes, il a peu d'amis. Mais il sort, s'amuse, fait des rencontres. Le docteur Laurens avait raison et je me trompais. Il n'aura donc pas été nécessaire de lui révéler la vérité. La sienne paraît entière. Seule la mienne porte encore le sceau de la culpabilité. »

— C'est comme si elle avait toujours enquêté sur toi, s'étonna Julia.

Noam relut les dernières phrases.

— Que veut-elle dire en parlant de vérité et en écrivant : « Seule la mienne porte encore le sceau de la culpabilité » ?

Soudain, la lumière éclaira la pièce.

*
*   *

Noam et Julia se levèrent brusquement, les yeux plissés, encore éblouis par l'éclat des leds. Devant eux, Linette Marcus affichait un visage impassible.

— J'aurais préféré commenter cela moi-même.

352

Noam chercha à répliquer mais hésita entre des excuses, des explications et la kyrielle de questions qui lui brûlaient les lèvres.

— Ne vous inquiétez pas, je ne me formalise pas. Tout ceci me paraît un peu trop théâtral mais l'important est que vous soyez là.

Elle s'approcha et leur tendit la main comme si elle les recevait pour un banal rendez-vous.

*
*   *

— Aretha Laurens m'a téléphoné. Et m'a dit vous avoir révélé les ressorts de mon approche.

— En effet. Vous étiez injoignable.

— Je souhaitais que vous avanciez au rythme prévu et vous avez voulu aller plus vite. Mais, après tout, cela n'est pas plus mal.

— Tout ceci... n'était donc qu'une mise en scène destinée à me faire prendre conscience des manquements de mon existence ?

Linette Marcus fronça les sourcils comme pour juger l'exactitude de la synthèse proposée par Noam.

— On peut le voir ainsi.

— Peut-on le voir différemment ?

— Oui.

Elle prit place dans le fauteuil face à eux, paraissant fragile et déterminée à la fois.

— Ce parcours vous a conduit à progresser dans votre réflexion et dans la prise en compte de vos déficiences. Mais il devait également vous préparer à découvrir une vérité essentielle.

Elle se tut et planta ses yeux dans ceux de Noam. Il remarqua que ses mains tremblaient comme lors de leur première rencontre.

— Je pense que ce que j'ai à vous révéler est... très personnel, Noam, dit-elle après avoir jeté un rapide coup d'œil sur Julia.

— Je peux sortir, proposa celle-ci en se levant.

— Non, reste, ordonna son compagnon en posant une main sur sa cuisse.

Julia interrogea Linette Marcus du regard. Celle-ci, d'un battement de sourcils, lui donna son accord.

— Quelle vérité voulez-vous me dévoiler ?

— Une vérité...

Elle inspira profondément, comme pour trouver la force de parler.

— Qui concerne les conditions dans lesquelles votre mère est décédée.

Noam ouvrit de grands yeux.

— Que pouvez-vous savoir à ce propos ? balbutia-t-il.

L'atmosphère s'était brusquement densifiée. La psychothérapeute baissa la tête, puis la releva. Elle s'était préparée à cette confrontation, ne voulait pas faiblir.

— La voiture qui a percuté votre mère... j'étais... j'étais dedans.

*
* *

Un silence pesant s'était installé, dont l'épaisseur semblait engluer les pensées de Noam et

354

empêcher Linette Marcus de continuer à se confier.

Julia se sentit soudain en trop dans cet échange. Pourtant, elle comprit que Noam avait besoin d'elle, de sa présence discrète et lui prit la main, la serra.

Le regard de Noam était planté dans celui de la thérapeute mais ses pensées couraient après la signification de ses propos.

— Je ne comprends pas... finit-il par avouer.

Linette Marcus paraissait évaluer l'impact de ses dires sur son patient.

— Ah ! ça y est, j'y suis, s'exclama ce dernier. Cela fait encore partie de vos méthodes ! Vous me balancez ce genre de truc en pleine gueule parce que vous souhaitez... que...

— Que vous sachiez la vérité, compléta-t-elle.

— Ne jouez pas avec moi ! hurla Noam. Vous n'avez pas le droit d'utiliser la mort de ma mère, de me mentir !

— Calmez-vous, Noam. Je ne mens pas. Je me trouvais bien dans la voiture qui a heurté votre mère. J'avais neuf ans. Mon grand frère conduisait.

Devant son effarement, elle plongea une main dans sa poche, sortit un objet, le posa sur la table.

— Vous souvenez-vous de ça, Noam ?

— Qu'est-ce que c'est ?

— Une pièce d'un jeu de construction. La porte d'une maison.

Suspicieux, il prit le morceau de plastique dans sa main, le détailla.

— Que devrait-il m'évoquer ?

— Quelques mois après l'accident, le docteur Laurens a appelé ma mère et lui a proposé de nous confronter. Elle avait l'impression que quelque chose lui avait échappé quant aux circonstances de l'accident. Malgré ses réticences, ma mère s'est laissé convaincre et m'a conduite à son cabinet. Aretha m'a fait entrer dans une pièce où vous étiez en train de jouer. Je me suis assise en face de vous. Vous construisiez une maison. Nous ne nous sommes pas parlé. Et, je ne sais pourquoi, j'ai subtilisé cette pièce. Je pensais que nous nous reverrions. Mais ma mère en a décidé autrement.

— Je ne m'en souviens pas. Donc le docteur Laurens savait tout ?

— Oui. Elle n'a pas voulu vous le révéler lors de votre rencontre parce qu'elle tenait à ce que ce soit moi qui vous confie cette partie-là de l'histoire.

— Vous m'avez donc menti quand vous m'avez expliqué ne vous être connues que lorsque vous étiez étudiante.

— Pas vraiment. Si j'ai étudié la psychologie et me suis intéressée aux notions de révélation, de vérité, c'est sans doute parce que j'avais en tête ce drame. Mais je n'avais pas conscience de posséder une vérité à révéler. Après l'accident, j'avais presque tout oublié. La scène restait floue, imprécise, noyée dans un bain de cris, de mouvements et de peurs. Durant mes études, j'ai suivi les travaux du docteur Laurens et, un jour, j'ai décidé de la contacter pour l'interroger sur votre cas. J'utilisais mon mémoire afin de creuser mon passé, le vôtre. Et, d'ailleurs, si elle a accepté de m'aider, c'est sans doute parce qu'elle pensait que j'avais besoin moi aussi d'affronter cette histoire. Je me sentais coupable, Noam. Je me trouvais dans la voiture qui avait renversé votre mère et cela suffisait à me remplir de culpabilité. Mais il y avait autre chose, quelque chose que je pressentais, qui me semblait exister là, à proximité de ma conscience, et m'empêchait d'accepter la réalité de cet accident. Alors, je me suis intéressée à vous. J'ai suivi votre parcours en interrogeant votre psy puis, quand vous l'avez quittée, je me suis tenue au courant de votre évolution. J'ai fini par croire que tout était rentré dans l'ordre, que tout allait désormais bien pour vous, que je me leurrais, qu'aucune vérité n'existait autre que celle de ce funeste jour. Et je suis passée à autre chose.

— Jusqu'au jour où le docteur Laurens m'a envoyé auprès de vous.

— Non, il s'est passé quelque chose avant. Voici plusieurs années, mon frère, celui qui conduisait le véhicule, a été frappé par un cancer foudroyant. Quand il a su qu'il ne s'en sortirait pas, il m'a appelée. C'était un homme tourmenté depuis ce terrible jour qui a vu tant de vies basculer dans une autre dimension. Il voulait que nous reparlions de tout ça, m'a dit son remords de ne jamais vous avoir contacté pour vous dire ses regrets. Je lui ai alors dit ce que je savais de vous. Cela l'a rassuré et inquiété à la fois. Il m'a demandé pourquoi j'avais continué à m'intéresser à vous. J'ai alors évoqué mon sentiment de culpabilité, l'intuition d'avoir enfoui au fond de moi une vérité essentielle. Il a fondu en larmes et m'a révélé ce après quoi je courais depuis toujours.

— C'est-à-dire ?

— Vous rappelez-vous le jour où vous vous êtes enfin exprimé sur l'accident ? Le docteur Laurens a rapporté vos propos dans son premier ouvrage. Vous commentiez un dessin réalisé juste après le drame, à l'époque où vous refusiez de parler. À la fin de votre confidence, vous aviez précisé qu'une grosse dame avait crié : « Mon Dieu, mon Dieu ! C'est de la faute de l'enfant. » Le docteur Laurens avait interprété ce souvenir comme l'expression de votre sentiment de culpabilité.

— Oui, je m'en souviens.

— Or, il s'agissait d'une erreur.

— Pardon ?

— L'enfant... l'enfant dont parlait cette dame, ce n'était pas vous, Noam, mais moi.

— Vous ? s'écria-t-il. Je ne comprends pas.

— Mon frère m'a raconté qu'il n'avait pas ralenti à l'approche du feu rouge car nous nous amusions dans la voiture. Et... alors qu'il me demandait de me calmer, j'ai... j'ai masqué ses yeux avec mes mains. Il n'a pas vu votre mère traverser.

*
* *

Noam, pétrifié, voyait dans son esprit les images revenir l'agresser. Sa course sur le passage piéton, le crissement des roues d'une voiture, les cris, sa peur, ses pleurs.

— Ce n'était donc pas de ma faute ? finit-il par murmurer.

— Non. Quand elle s'est élancée à votre poursuite, le feu était encore piéton. Mais mon frère ne s'est pas arrêté. À cause de moi. Je ne m'en suis pas souvenue après l'accident. Un réflexe de ma conscience pour me préserver, sans doute. La femme n'a pas témoigné. Elle a disparu dans la foule. Les personnes présentes ont simplement raconté ce qu'elles avaient cru voir : une mère courant après son enfant sans regarder. Mon frère a profité de l'opportunité qu'offrait cette version pour ne rien dire. Il pensait qu'il valait mieux pour moi que je ne sache rien, que mon amnésie était salvatrice, que cette vérité détruirait ma vie s'il la révélait. Quant à vous, cela ne changerait rien : vous étiez petit, pas réellement conscient et, de toute façon, le mal était fait. Il n'a pas imaginé que les choses ne seraient pas aussi simples et que cette dissimulation pouvait nous être préjudiciable.

— Pourquoi n'avez-vous pas tenté de me contacter par la suite ?

— Parce que je croyais que vous meniez une existence normale, que vous aviez fait votre deuil, que vous avanciez dans la vie. J'ai pensé qu'il n'existait pas d'autre culpabilité en vous que celle d'avoir assisté au drame sans rien avoir pu faire, ce qui est classique dans ce type de situation. Si ne s'exprimait que ma propre culpabilité, avais-je le droit d'aller vous voir et de remuer le passé pour me sentir mieux ? Puis le docteur Laurens m'a contactée pour me parler de votre visite. Elle m'a rapporté ce qui vous arrivait et m'a dit être sans doute passée à côté de quelque chose d'important durant votre thérapie. Elle m'a demandé de vous suivre.

— Pourquoi vous ?

— A priori parce que je connaissais votre cas, aussi bien d'un point de vue personnel que professionnel. Également parce que mes méthodes lui paraissaient pertinentes compte tenu de votre angoisse de la mort et de votre réaction face aux propos de votre nièce. Mais, je l'ai toujours soupçonnée d'avoir saisi qu'une partie de la vérité lui avait échappé et que j'étais seule à pouvoir la divulguer. C'est sans doute pourquoi elle avait organisé notre rencontre dans son cabinet quelques mois après le drame.

*

* *

Ils restèrent un moment silencieux. Julia, inquiète, détaillait le visage décomposé de cet homme qu'elle aimait et qui tentait désormais de réaliser l'impact de ces révélations sur une existence édifiée sur une erreur au poids incommensurable.

— Je suis désolée, Noam, tellement désolée, murmura Linette Marcus d'une voix qui les surprit.

Elle n'était plus la thérapeute réservée qu'il connaissait, mais, son armure fissurée, une fillette torturée. Ses yeux débordaient de larmes. Noam eut pitié d'elle, de sa souffrance longtemps retenue.

— Vous ne saviez pas. Vous n'étiez qu'une enfant.

Il voulut se lever. Il lui fallait maintenant partir, laisser son fardeau dans ce bureau, se réconcilier avec le passé, chasser ses fantômes et entreprendre l'avenir. Mais ses jambes fléchirent. Julia se précipita pour le soutenir.

Quand il fut sur le pas de la porte, il se retourna.

— Mais… je ne comprends pas : pourquoi ne pas m'avoir tout dévoilé lors de ma première visite ?

— Annoncer une pareille vérité de manière si brutale était inconcevable ! Vous étiez tellement faible psychologiquement. Vous manquiez de substance, de force pour envisager cette partie essentielle de votre histoire. Il fallait vous remettre en condition, vous préparer à vivre ce moment.

Il hocha la tête.

— Et les gens que vous m'avez envoyé rencontrer ?

— Je ne les connais pas. C'est Sarah qui vous les a désignés.

— Elle connaissait votre vérité ?

— Oui, je la lui avais dite.

— Et la prophétie des innocents ? Une connerie ?

— Non, elle existe. Je lui accorde même un certain crédit. Mais Sarah a simplement été ma complice dans le parcours conçu pour vous conduire à la vérité.

— Et cette phrase prononcée par ma nièce ?

Linette Marcus haussa les épaules et Noam vit que sa question l'embarrassait.

— Ne lui donnons pas plus d'importance qu'elle n'en a vraiment, Noam. Elle peut être comprise de tant de manières. Et si nous demeurons dans une dimension mystique, qui sait si elle n'a pas tenu ces propos uniquement pour permettre notre rencontre et nous offrir un scénario. Mais... en regard de ce que vous savez, vous pouvez également lui donner un autre sens, désormais.

— Quel sens ?

— Le cœur est le foyer des sentiments. Le jour où l'accident est arrivé, le vôtre s'est arrêté, Noam. Il s'est tari et vous n'étiez plus capable d'éprouver de véritables sentiments. Vous souvenez-vous des propos que vous aviez tenus le jour où vous avez parlé pour la première fois de l'accident ? Aretha Laurens les cite dans son livre.

— Non, je n'ai jamais lu ce qu'elle a écrit.

— Vous disiez que votre mère vous appelait « mon cœur » et que « ça ne voulait rien dire d'appeler quelqu'un mon cœur » parce que « le cœur, c'est ce qui fait vivre ». Les paroles prophétiques d'un enfant innocent. Une manière de dire que vous n'étiez déjà plus de ce monde. D'une certaine manière, vous n'aviez pas tort. Dans la mystique juive, celui qui ne construit pas sa vie, ne progresse pas, ne s'améliore pas, est considéré comme un cadavre. Votre cœur était mort, Noam. Et cette mort entraînait celle de l'enfant que vous aviez été, celle de la famille que le destin avait prévu que vous formeriez, celle de l'homme sage que vous deviez devenir.

— Et la vôtre.

— Et la mienne, en effet.

Noam secoua la tête.

— Alors ne laissons pas la mort gagner cette fois. Pas maintenant. Je vous souhaite de vivre votre vie. Sincèrement.

Linette Marcus essuya les larmes qui roulaient sur ses joues et tenta de lui sourire.

Noam leva la main dans laquelle il tenait celle de Julia.

— Après tout, c'est à vous que je dois, désormais, de pouvoir mener la mienne.

*
* *

La psychothérapeute resta un long moment prostrée, encore à l'écoute de l'écho des mots trop longtemps retenus et enfin libérés. Elle se sentait vide et comblée à la fois. Elle inspira profondément pour mieux apprécier l'instant, comme le ferait un détenu à la porte de la prison qu'il quitte. Elle songea à son frère qui, de là-haut, avait dû assister à la scène.

Elle aussi allait désormais pouvoir avancer, penser un peu à elle.

Avant tout, il lui fallait remercier Sarah de son aide.

Elle saisit l'ordinateur portable dans son sac, le brancha, se connecta à Internet et adressa un message à la jeune autiste.

*
* *

« Bonjour Sarah. Voilà, c'est fini. Noam vient de partir. Je lui ai révélé la vérité qui nous retenait, lui et moi, au passé. Merci d'avoir accepté de jouer ce rôle. Je dois t'avouer que, quand tu m'as demandé de te laisser sélectionner les personnes que tu lui désignerais, hormis Julia et moi, j'ai éprouvé quelques craintes. Mais tes choix se sont révélés pertinents. Comment connais-tu Adam Weinstein, Luzzato et les Nagy ? Ça, je ne le sais pas et, à la limite, cela m'importe peu. Ce qui compte est que Noam va dorénavant pouvoir vivre pleinement sa vie. Tu seras sans doute heureuse, aussi, d'apprendre qu'il a retrouvé Julia et qu'ils semblent désormais liés par un bel amour. Le résultat de notre approche dépasse donc nos espérances. Merci pour tout, Sarah. Je viendrai prochainement te rendre visite. Je t'embrasse. »

Virginie releva la tête.

— Voilà, c'est le message que t'a envoyé, hier, Linette Marcus, conclut-elle.

Elle fut étonnée de voir les yeux de Sarah briller.

— Qu'y a-t-il ma chérie ? Quelque chose te chagrine ? Ce message auquel je ne comprends rien semble plutôt positif, non ? Souhaites-tu répondre ?

Elle plaça ses mains sur celles de Sarah, mais n'obtint aucune réaction.

— Tu ne veux pas écrire ? À ta guise. Tu as peut-être besoin de temps pour réfléchir.

Virginie se leva, rangea son ordinateur.

— Je repasserai dans la journée.

Mais Sarah ne voulait pas répondre. Elle n'avait rien à dire à Linette. Comme celle-ci l'écrivait, tout le monde paraissait heureux désormais. Alors pourquoi en dévoiler plus ? Elle seule savait que toutes les vérités ne méritaient pas d'être révélées. Même Linette, qui pourtant aimait naviguer entre les mondes et acceptait d'accorder crédit aux idées qualifiées d'occultes, ne pourrait accepter de savoir pourquoi elle avait choisi les personnes auprès desquelles elle avait envoyé Noam se chercher. De toute façon, ce qu'elle savait concernait un lointain futur, au terme d'une vie qu'elle leur souhaitait heureuse.

Chapitre 18

Noam entra dans la maison en tentant de faire le moins de bruit possible. Il se rendit à la cuisine, posa le pain et les croissants qu'il venait d'acheter et commença à préparer le petit déjeuner. Il releva la tête et fut une nouvelle fois saisi par la beauté du paysage corse. Après s'être servi un café, il ouvrit la baie vitrée et avança sur la terrasse.

Il sentit deux bras l'enserrer, ne se retourna pas.

— C'est tellement beau, murmura-t-il.

Julia saisit la tasse de Noam, y trempa ses lèvres.

— Ta fille dort encore ?

— Oui, Emie est une lève-tard. Pas comme Anna.

— Elle est déjà debout ?

— Oui, et installée devant la télé.

— Ah ! non, pas en vacances ! s'exclama Noam.

Vautrée sur le canapé, les yeux encore lourds de sommeil, le pouce dans la bouche, sa nièce regardait l'écran allumé sur une chaîne italienne d'informations. Noam la saisit, l'embrassa.

— Allez, on éteint, dit-il en s'emparant de la télécommande.

— Non, juste encore cinq minutes. Mets les dessins animés !

— Ne cède pas ! lança Élisa, tout juste sortie de la salle de bains. Allez, Anna, viens faire ta toilette et allons prendre le petit déjeuner.

Elle embrassa son frère, souleva sa fille et la conduisit vers la pièce d'eau.

Alors qu'il s'apprêtait à éteindre le poste, Noam vit soudain apparaître le visage du professeur Luzzato. Il tressaillit, se redressa, tendit l'oreille. Bien que ne parlant pas l'italien, il comprit rapidement la teneur de l'information : le vieux philosophe était mort la veille.

Il ressentit un curieux mélange de tristesse et de soulagement. Filippo Luzzato était décédé mais Julia et lui encore vivants. Les visages des membres des familles Weinstein et Nagy lui apparurent et il sourit à l'idée qu'ils continueraient à jouir de leur bonheur. Anna et Élisa sortirent de la salle de bains.

— Ah ! non, tu éteins ça tout de suite, s'exclama sa sœur. Tu ne peux pas interdire à ta nièce de regarder la télé et toi-même te planter devant les infos !

Noam ne broncha pas. Le reportage montrait maintenant la clinique dans laquelle Luzzato s'était éteint, celle-là même où il lui avait rendu visite.

Élisa saisit la télécommande des mains de son frère puis, se rendant compte de son intérêt pour le reportage, hésita à éteindre.

— Pourquoi fais-tu cette tête ?

— Je... connais ce philosophe.

— Tu le connais ?

— Oui. Enfin... disons que je l'ai lu, mentit-il. Traduis-moi ce qu'ils racontent.

— Il y a longtemps que je n'ai pas pratiqué cette langue. Et de toute façon, il n'est pas question de laisser les mauvaises nouvelles plomber une si belle journée, rétorqua-t-elle en poussant son frère vers la terrasse. Julia nous attend.

Noam se résolut à quitter le salon.

Avant d'éteindre, Élisa jeta un coup d'œil sur l'écran. Une image la saisit : celle d'un enfant un peu plus âgé qu'Anna dont les boucles brunes encadraient un visage triste. Il se tenait aux côtés d'une femme élégante que les journalistes interviewaient.

« Mon beau-père n'aurait pas voulu que nous soyons tristes. C'était un grand homme, un père fantastique, un grand-père merveilleux. Pour moi, il n'est pas vraiment parti. Il laisse une pensée, des livres et une famille unie. Et un petit-fils qui porte les mêmes nom et prénom que lui. »

Élisa appuya sur la télécommande et rejoignit Julia, Anna et Noam sur la terrasse.

Une belle journée les attendait.

Épilogue

La fin... et l'ailleurs

Quarante ans après

Qu'est-ce que la mort, pour ceux qui restent ?

L'absence cruelle, quand ils ne voient plus que l'ombre de l'être aimé.

L'étape essentielle lorsque le regard, porté par une foi, sait deviner la force de l'âme.

La fin pour qui réduit l'être humain à une équation physique.

Mais, qu'est-elle donc pour celui qui part ?

Elle est ce à quoi il s'est préparé.

Noam, durant la première partie de sa vie, fut hanté par la peur de ce qu'il ne connaissait pas. Il a passé la seconde à redouter ce qu'il savait trop bien : la vie peut être vide de sens si elle n'est pas pleine de ces sentiments qui permettent de construire son monde comme celui de ses proches.

Aussi a-t-il fait de son amour pour Julia l'axe de son univers.

Et les siens se sont mis à tourner autour d'eux, à puiser leur énergie dans leur force d'attraction, à se ressourcer à la lumière qu'ils irradiaient.

Aussi, quand hier Noam a découvert le corps inanimé de Julia, il n'a rien dit, n'a pas pleuré. Il s'est contenté de déposer un baiser sur ses lèvres encore chaudes puis s'est adressé à elle, dans un murmure.

« Attends-moi… si tu existes ailleurs, je te rejoindrai. »

Il m'a ensuite demandé de le laisser seul avec elle, d'appeler les enfants.

Je crois que je savais ce qui arriverait, mais je l'ai écouté.

Plus tard, quand j'ai poussé la porte, je l'ai trouvé allongé à ses côtés, les yeux fermés. Il lui tenait la main et sur son visage flottait un étrange et beau sourire.

Ils sont morts hier et, pourtant, aujourd'hui, les visages de leurs enfants et amis sont détendus, l'atmosphère sereine. Certains sourient même. Sans doute parce que le départ de Julia et Noam est à l'image de ce que fut leur existence : la démonstration du lien indéfectible qui les unissait.

*
* *

Mon frère m'a raconté bien des années plus tard ce qu'il avait vécu l'été 2011, « pour me préserver de cette sombre histoire », avait-il expliqué. Il est vrai que je me serais inquiétée pour lui tant il était alors fragile.

Noam n'a jamais vraiment tourné la page de cet épisode essentiel de son parcours. Je sais qu'il continuait à prendre des nouvelles de ceux que Sarah lui avait désignés. Julia le raillait à ce propos, arguant que le professeur italien étant décédé, la sombre prophétie s'avérait fausse. Quant à moi, ayant incidemment découvert que le petit-fils du célèbre philosophe avait hérité des nom et prénom de son grand-père, je refusais d'être aussi formelle. Mon frère avait-il également fini par l'apprendre ? Je ne le sais pas. Peut-être s'estimait-il seulement irrémédiablement lié à eux ?

« Selon certaines théories mystiques, une même âme peut vivre dans plusieurs corps », m'a-t-il déclaré un jour, comme s'il tentait de répondre à l'énigme de celle qui l'avait conduit sur le chemin sur lequel il s'était retrouvé.

Alors, Noam et Julia étant morts le même jour, dois-je y voir un indice de la véracité des propos de Sarah ? La même âme dans les corps de Noam et Julia ? Et dans celui des quatre autres personnes auxquelles Noam pensait être lié, même par un fil plus ténu, impossible à nommer ?

Aujourd'hui, j'ai été tentée de chercher les coordonnées de Linette Marcus, de Cristian Nagy, d'Adam Weinstein ou du descendant et homonyme de Filippo Luzzato. Mais que m'apporterait de savoir s'ils ont, également, quitté ce monde hier ? À quoi bon tenter de décrypter les ressorts du destin ?

Je n'ai pas besoin de preuves pour comprendre qu'il existe une autre lecture de notre réalité ni que Julia et Noam sont désormais réunis dans un ailleurs où bientôt je les rejoindrai.

*
* *

Des êtres sont nés le même jour que vous, ont poussé leur premier cri à l'unisson du vôtre. D'autres cesseront de respirer à la seconde où vous quitterez ce monde. Peut-être que la vie vous amènera à rencontrer les uns ou les autres. Peut-être que non. Partagez-vous la même âme que certains d'entre eux ? Qu'importe. Nous avons une vie à mener sans attendre la mort et sans la redouter.

Pour ma part, je n'en ai pas peur car j'ai aimé ma vie. J'ai aimé et transmis, me suis construite et ai aidé les autres à en faire de même. J'accepte son issue.

En fait, je crois que personne n'a réellement peur de la mort.

Nous avons seulement peur de ne pas avoir le temps de nous habituer à l'idée de mourir faute d'avoir compris ce que vivre signifie.

Remerciements

Aux lecteurs, locataires de mes mondes virtuels et complices enthousiastes de mes idées loufoques :

Agathe Dubois, Amandine Hayoun, Amandine Marcq, Anthony Micheau, Benjamin Parez, Carole Barraud, Céline Sarrazin, Delphine Robert, Doriana Gasquet, Dreyfuss Family, Enza La Plaglia, Éric Abravanel, Ève Merires, Ghislaine Robles Saponara, Guillaume Pornet, Hélène Cholez, Jessica fix, Julie N., Karine Fléjo, Karine Meunier, Laodice Legeley, Laura Sautière, Lise Campeau, Magali Caillot, Malika Mikadmi, Marc Fournier, Marielle Mie, Marine Léonard, Martine Bensoussan, Mathilde Tignon, Rachel Sabsab, Roxane Rouland, Sabrina Accornero, Sandra L'honoré, Sébastien Trompas, Sonia Vinciguerra, Sophie Masurel, Sandra TR., Thierry Gerdole, Valérie Courcelles, Vanessa Curnel, Vanessa Dubois-Gaché, Vanessa Ness, Véronique Herrgott, Véronique Koessler, Viviane Guez et… mes excuses à ceux et celles que j'aurais oubliés.

Aux lectrices et lecteurs qui, à travers leurs messages sur mon site ou sur Facebook, viennent me donner des nouvelles de mes personnages.

À mes amis du « métier » ou d'à côté, pour leurs conseils, leur présence, leur sollicitude :

Agnès Abécassis, Amandine Hayoun, Gérard Krawczyk, Maguy Tordjman, Nicky et Brice Depasse, Patrick Braoudé, et toujours... les fées Jessica Nelson et Tatiana de Rosnay.

À celles et ceux qui, dans l'ombre, chez Flammarion et J'ai lu, mettent leur professionnalisme et leur passion au service de mes romans.

Et, encore et toujours, à mon éditeur, Thierry Billard, qui, au-delà de son professionnalisme, investit ses belles valeurs humaines dans notre relation.

10369

Composition
NORD COMPO

Achevé d'imprimer en Espagne
par BLACKPRINT CPI IBERICA
15 avril 2013.

Dépôt légal avril 2013.
EAN 9782290059142
OTP L21EPLN001362N001

ÉDITIONS J'AI LU
87, quai Panhard-et-Levassor, 75013 Paris

Diffusion France et étranger : Flammarion